Männer
lassen lieben

Wilfried Wieck

Männer lassen lieben

Die Sucht nach der Frau

Lizenzausgabe mit Genehmigung des
Kreuz Verlages, Stuttgart
für die Bertelsmann Club GmbH, Gütersloh
die EBG Verlags GmbH, Kornwestheim
die Buchgemeinschaft Donauland Kremayr & Scheriau, Wien
und die Buch- und Schallplattenfreunde GmbH, Zug/Schweiz
Diese Lizenz gilt auch für die Deutsche Buch-Gemeinschaft
C. A. Koch's Verlag Nachf., Berlin – Darmstadt – Wien
© Kreuz Verlag Stuttgart 1987
Umschlaggestaltung: Manfred Waller
Umschlagfoto: G+J Fotoservice/Guido Mangold
Satz: IBV Satz- und Datentechnik GmbH, Berlin
Druck und Bindearbeiten: May & Co., Darmstadt
Printed in Germany · Buch-Nr. 03976 8

Irmgard, meiner Lebensgefährtin,
in Liebe

Inhalt

Danksagung

Ich danke Irmgard Hülsemann, meiner Lebensgefährtin, für ihre Anregung, mich mit mir und meinem Mannsein in dieser Gesellschaft zu befassen, und für ihre Unterstützung bei dieser Arbeit. Sie hat viel Kraft aufgewendet, mit Liebe und Konsequenz so manches Kapitel, so manches Problem angehört und mich auf Mängel hingewiesen. Das fiel mir nie leicht, brachte aber nach einiger Zeit jedesmal Klarheit und Ermutigung. Irmgards wichtigste Hilfe war, daß sie mich bewog, mein Manuskript zu einem Zeitpunkt an den Verlag abzuschicken, als ich selbst noch keineswegs mit meiner Arbeit zufrieden war.

Ich danke Katja Wieck, meiner Tochter, für ihr stetiges Interesse an den Fragen dieses Buches, das für mich eine große Ermutigung war. Immer, wenn ich sie nach ihrer Ansicht fragte, war sie bereit und in der Lage, einfühlsam und klug zu antworten und mir Gedanken mitzuteilen, die mich erfrischten.

Ich danke meinen Freunden Roswitha Neumann und Dr. Eberhard Neumann, die sich mir geduldig und mit stets wacher Bereitschaft zur Beschäftigung mit meinem Anliegen freundlich und stabilisierend zuwandten und so meine Arbeit begleiteten.

Ich danke Sarah Haffner, die mich schon sehr früh dazu ermuntert hat, diesen Männer-Fragen nachzugehen, und nie einen Zweifel daran ließ, daß es sich lohnt, sich als Mann feministischen Themen zuzuwenden.

Ich danke Johannes Thiele, der mein zunächst wesentlich längeres Manuskript mit Engagement und Eifer las, außerdem wohlwollend, sachkundig und verständnisvoll auf mögliche Änderungen und Straffungen hinwies. Er empfahl, zu streichen und zu korrigieren, und ich habe das Gefühl, daß ich von ihm vieles Wesentliche über das Schreiben gelernt habe.

Ohne die unschätzbare Hilfe dieser vier Frauen und zwei Männer hätte ich weder den Mut noch die Geduld aufgebracht, so lange und konsequent an diesem brisanten Thema zu arbeiten.

1. Einleitung

Im Grunde fing alles mit einem kleinen Taschenbuch an. Oder nein, mit einer Bitte, der ich nicht entsprach. Ich war vierundvierzig Jahre alt, als ich 1982 ein Buch las, das mir meine Partnerin seit drei Jahren dringend ans Herz gelegt hatte: »Die Stärke weiblicher Schwäche« von Jean Baker-Miller, einer Psychotherapeutin. Hinsichtlich des Verständnisses für die Beziehungen zwischen Frau und Mann hatte ich unbekümmert vor mich hin gedämmert, obwohl ich mich seit langem mit Tiefenpsychologie befaßte und in Kreisen gesellschaftskritischer Menschen bewegte. Außerdem hielt ich mich nicht für einen typischen Mann. Das tut der typische Mann nie. Chauvinismus, Sexismus, Gefühl- und Verständnislosigkeit waren Begriffe, die ich benutzte, im Grunde aber nicht auf mich bezog.

Der Mann läßt lieben. Er läßt die Frau lieben. Er läßt sich lieben. Aber er liebt nicht. Wenn sie geliebt werden will, dann läßt er das Lieben. Dann wird ihm alles zu schwierig. Wie die meisten Männer hatte ich bis dahin kaum etwas über die Geschlechterfrage gelesen. Wissenschaftliche Bücher, so meinte ich, waren wichtiger. Es dauerte drei Jahre, bis ich Irmgards Bitte entsprach. Das Buch verunsicherte mich, alles betraf mich. Nach der ersten Erschütterung begann ich, mein Mannsein in dieser Gesellschaft problematisch zu finden. Ein Schamgefühl darüber stellte sich ein, daß ich die Erkenntnisse der Frauenbewegung so lange ignoriert hatte. Dann beunruhigte mich, daß ich drei Jahre lang gebeten werden mußte. Wie steht es mit meiner Liebesfähigkeit?

Durch psychologische Schulung und therapeutische Tätigkeit war mir die Auseinandersetzung mit meiner Person vertraut. Ich hatte viel über mich als Mensch erfahren, mein Mannsein aber kaum reflektiert. Konnte ich bis dahin überhaupt etwas Rechtes über mich als Mensch erfahren haben? Selbsterkenntnis war nachzuholen. In meinen Dämmerzustand hinein fiel plötzlich ein Licht. Es wurde Auftakt zu einer Reise, während der es zunehmend heller wurde. Sie begann allerdings zögernd und stockend, mit viel Widerständen.

Neulich erinnerte mich Irmgard an meine anfängliche große Verunsicherung. Dieses Gefühl und meine damalige Stimmung hatte ich vergessen. Ich dachte, daß es mir bei meinem neuen Aufbruch gutgegangen war, weil ich ihn anregend und produktiv fand.

Ich rechne damit, daß männliche Leser auch Mühe haben werden, sich auf meine Erkenntnisse einzulassen. Warum sollten sie weniger Schmerzen empfinden als ich? Es hatte lange gedauert, ehe aus meiner Befangenheit selbstkritische Fragen wurden. Was habe ich versäumt? Welchen Frauen schadet mein Mannsein? Das Ausmaß meiner Unwissenheit bestürzte mich. Es gibt viele Männer, die sich von diesen Problemen distanzieren. Sie betrachten alles als übertrieben oder finden es gar nicht so schlimm.

Als ich mich nach einiger Einarbeitungszeit entschloß, über diese Materie Vorträge zu halten, erstaunte mich mitunter die Reaktion der Zuhörer. Weil ich meine persönliche Betroffenheit aussprach, warf man mir hin und wieder Wehleidigkeit und Männerfeindlichkeit vor. Manche fühlten sich herausgefordert, ärgerten sich oder bekamen Angst. Immerhin kamen Hunderte von Menschen, etwa ein Drittel Männer, über Jahre regelmäßig, um zuzuhören und zu diskutieren. Manche kritisch, viele berührt und interessiert. Ihre Anteilnahme hat mich bewogen, meine Gedanken schriftlich festzuhalten. Ich unternehme damit den Versuch, andere an meinen Gefühls- und Lernprozessen teilnehmen zu lassen. Vielleicht können auch sie neue Fragen stellen und einen ungewohnten Weg wählen, der unsicher, aber lebendig und spannend wäre.

Insoweit es mir notwendig erschien, bezog ich meine Lebensgeschichte ein, besonders die Beziehung zu meiner Mutter. Sie hatte einen beträchtlichen Anteil an meiner Mannwerdung. Wir Männer sind nicht nur deshalb gefühlsarm und gewalttätig, weil wir uns mit dem Vater identifizieren. Meine Mutter hat mich darin bestärkt, so wie der Vater zu werden, obwohl er ihr kein wirklicher Liebespartner war. Sie lebten zusammen, aber wenn sie seiner bedurfte, stand er nicht zu ihr. Sie sehnte sich immer nach einem Menschen, von dem sie sich uneingeschränkt akzeptiert fühlte. Dieser sollte ich sein. Ich werde schildern, wie sie mit mir umging und welche Gefühle ich in der Beziehung zu ihr lernte. Anschließend gehe ich kurz auf Schule und Studentenbewegung ein.

Schon während des Studiums hatte ich geheiratet. Wir bekamen eine Tochter und hatten große Mühe mit unserer Liebesbeziehung. Keiner vermochte uns zu helfen. Elternhaus, Schule und Universität, Studentenbewegung und Therapiegruppe brachten mir Auffassungen über die Frau und den Mann nahe, die ich heute als Vorurteile erkenne. Ich hatte immer gedacht, daß der Mann in der Beziehung der Starke ist, daß er die Frau stützt und ihr hilft. Nun lernte ich, daß eher das Gegenteil stimmt. Der Mann ist kraftlos und schwach, und die Frau hält ihn funktionstüchtig. Frauen halten an der Verbundenheit mit Männern fest und versorgen sie. Auf dieser Geborgenheit baut der Mann als Sicherheitserzwinger Konkurrenzsysteme auf, Prestigekämpfe und Macht. Alle wissen, daß eine seelische und globale Zerstörung droht, wenn es nicht gelingt, weibliche Werte zu verwirklichen. Ich werde die »Therapie« des Mannes durch die Frau schildern, wie sie ist und wie sie eigentlich sein müßte.

Mein zweites Vorurteil betraf meine Vorstellung von Autonomie. Ich hatte immer von Selbständigkeit und Selbstbestimmung geschwärmt. Nun stellte ich fest, daß ich weder den einen noch den anderen Wert verkörperte, daß diese Gesellschaft mich im Gegenteil zur Abhängigkeit von der Frau erzogen hat. Ich bin auf ihre Kraft und Pflege angewiesen, und weil ich das nicht wahrhaben möchte, halte ich am Autonomiewahn fest. Es stellte sich heraus, daß der Mann süchtig nach der Frau ist. Diese erste Sucht in seinem Leben entstand, als er noch nicht denken oder sprechen konnte. Darum hat er solche Mühe, sich von ihr zu befreien.

13

Drittens hatte ich gelernt, daß Frauen dazu neigen, auf Männer eifersüchtig zu sein, anderer Frauen, aber auch der beruflichen Karriere der Männer wegen. Bei meiner Untersuchung der Emanzipation der Frau lernte ich, daß es umgekehrt ist. Der Mann wird eifersüchtig auf die tüchtige berufstätige Frau, auf ihre außerfamiliären Beziehungen und auf ihre menschliche Entwicklung. Wir können das jetzt erst wahrnehmen, weil die Frau in früheren Zeiten wirksamer daran gehindert wurde, sich zu befreien und dem Mann eine Konkurrentin zu werden. Weil seine Größenträume und Macht leben durfte, mußte er nicht eifersüchtig werden.

Viertens schließlich hatte ich immer gedacht, daß der Mann das Wort ergreift. Im Hause, im Beruf, in der Wissenschaft, der Kunst, der Literatur und in der Politik – überall hörte ich Männer reden, während Frauen kaum zu Wort kamen. Nun merkte ich, daß der Mann gar nicht eigentlich kommunikativ ist. Den Austausch sucht eher die Frau. Der Mann schweigt, indem er nichts Wesentliches über sich, andere Personen und Beziehungen sagt, auf so raffinierte Weise, daß es niemandem auffällt. Im Laufe dieser Einsicht wurde mir klar, daß Kraftlosigkeit die Grundlage des männlichen Schweigens ist.

Diese männlichen Defizite werde ich beschreiben: Angewiesenheit auf die Frau, Frauensucht, Eifersucht auf die Frau, Schweigen und Kraftlosigkeit. Auf der anderen Seite die therapeutische Kraft der Frau. Weil sie ohne die Frau nicht leben können, weil sie sie bekämpfen, wenn diese Wahrheit ans Tageslicht zu gelangen droht, neigen Männer zu Masochismus und Gewalt.

Es gibt starke und gefühlvolle Männer und egoistische, diktatorische und harte Frauen. Auch ich habe bei Frauen schon ein erschreckendes Ausmaß an Verständnislosigkeit und Herrschaftsansprüchen erlebt. Viele bleiben treu, verwöhnen den Mann und werden depressiv. Sie bewundern gewalttätige Männer, wehren sich nicht und ermöglichen Akte der Ignoranz und Grausamkeit.

Aber abgesehen davon gelingt es doch fast jedem Mann, eine Partnerin zu finden, die ihn pflegt und tröstet. Eine Frau, die gerade ein wenig mehr an Kraft und Gemeinschaftsgefühl besitzt als er. Eine unbewußte und deshalb zuverlässige Partnerwahl erklärt das scheinbare Paradox. Hat er diese Frau gefunden, dann verstärkt der Mann seine Abhängigkeit von ihr, beutet sie aus und schweigt sie an. Ich denke, daß auch die Frau an sich arbeiten muß. Damit sie den Mann nicht nur am Leben erhält, sondern seine Entwicklung konsequent fordert. Die Welt braucht nicht die einseitige, sondern die konsequente Therapeutin des Mannes. Sie hat sie nicht, weil die Frauen zu brav sind.

Allenthalben hebt man angeblich gesicherte Erkenntnisse hervor, tut zum Beispiel so, als sei durch die feministische Forschung schon vieles verbessert. Das ist ein Irrtum. Bücher und Diskussionen ändern an der Realität des Alltags wenig. Jeder Mann wird ein Leben lang an sich arbeiten müssen. Die unbefleckte Erkenntnis bewirkt nichts. Die eigentliche persönliche Arbeit scheinen alle zu scheuen. Darum sind unsere Welt, unsere Beziehungen und unsere Sprache verschmutzt. Um dem zu begegnen, müssen Männer sich erst einmal selbst kennenlernen.

2. Ein Mutter-Sohn-Komplott

S ie wäre so gerne noch mal mit mir spazierengegangen, wie früher, wenn sie mich einlud: »Du, laß uns was unternehmen, was wir nicht vergessen.« Sie hätte so gerne noch mal mit mir in Wannsee Kaffee getrunken. Zum Schluß mußten wir mit dem Auto fahren, weil sie die dreihundert Meter von der Haltestelle zum Café nicht mehr schaffte. Sie hätte so gerne gehört, daß ich glücklich bin. Eigentlich hatte sie sonst keine Wünsche. Sie hatte für uns gewünscht und getan. Gedankenlos, wie wir waren, bemerkten wir es nicht. Sicher verdiente sie mehr Anerkennung.

Sie hätte so gerne mit mir noch über das Wichtigste im Leben gesprochen, um es mir leichter zu machen. Sie fürchtete immer, mir das noch nicht gesagt zu haben. Ihr hatte niemand das Leben erleichtert. Am Ende mußte ich fliehen, weil ich ihr Leiden nicht mehr ertrug. Ehe ich verständnisvoll genug war, ihr einmal liebevoll übers Haar zu streichen, wie sie es bei mir Hunderte Male getan hatte, war sie nicht mehr. Ich wäre so gerne noch mal mit ihr spazierengegangen. Ich hätte so gerne noch mal mit ihr in Wannsee Kaffee getrunken. Ich hätte so gerne gehört...

Meine Aufgabe als Sohn war es, meine Mutter zu retten. Sie hatte mir das aufgebürdet. *Wir beide* waren in eine Falle geraten, aus der sie uns nicht befreien konnte. Dabei war sie noch die Einzige. Die Frau, der ich mein Leben verdanke, auf die ich total angewiesen war. Die Erste in meinem Leben. Ich werde offen über meine Mutter sprechen. Ich will sie nicht anklagen. Mir wird heute manchmal schwindlig, wenn ich mir ihre Not vorstelle, ihre Schmerzen, ihre grenzenlose Einsamkeit, ihren qualvollen Tod. Diese Vorstellungen bedrängen und beunruhigen mich. Dann denke ich, wie selten sie glücklich war. Sie schrieb mir: »Alles Gute, was eine Mutter ihrem Kind wünschen kann, das

16

wünsche ich Dir. Vor allen Dingen: Frieden. Einmal habe ich dieses Friedensgefühl gehabt, letztes Weihnachten.« Diesen Zettel trage ich seit Jahren in meinem Terminkalender mit mir herum. Nur einmal hatte sie, was wir uns alle so dringend wünschen, ein Gefühl des Friedens.

Ich trauere heute um meine Muter. Dennoch darf ich sie nicht schonen, weil es mir auch um mich gehen muß. In der Beziehung zu ihr liegen die Wurzeln meines Mannseins, alle Phänomene und Varianten meiner – in dieser patriarchalischen Gesellschaft typischen – männlichen Haltungen. Darum fühle ich mich berechtigt, intime Erlebnisse und Gefühle mitzuteilen. Es ist Jahre her, seit meine Mutter die Welt und mich verlassen hat. Ihr Leben lang quälte, mühte und opferte sie sich. Gegen meine übermütigen Griffe wehrte sie sich. Heute greife ich zu, um mich zu begreifen. Sie kann sich nicht mehr verteidigen. Ist sie bei mir, in meiner Sicht von ihr, gut aufgehoben?

Die Liebe einer Mutter macht sie schon zu Lebzeiten zu einer Heiligen. Diese entsagende, bedingungslose Mutterliebe, die immer gefordert wird, von der alle so begeistert sind, soll kritisiert werden? Meine Mutter liebte ihren Mann und uns zwei Geschwister, meine Schwester und mich. Daran gibt es keinen Zweifel. Liebevoll schenkte sie uns das Leben, und liebevoll erhielt sie es, als es bedroht wurde.

Mich, ihren großen Sohn, bereitete sie auf das Leben vor, aber auf die für sie – und damit für mich – charakteristische Weise. Indem sie sich selbst verleugnete, weil sie sich selbst nicht genügend liebte. Konnte sie mich also wirklich auf das Leben vorbereiten, sie, die auf ihr eigenes Leben und dessen unvermeidliche Schwierigkeiten nicht vorbereitet war? In Hermann Hesses Gedichten entdeckte ich vertraute Gefühle:

> Draußen auf den warmen Wiesen
> Will ich nach den Wolken sehen
> Und die müden Augen schließen
> Und ins Träumeland hinüber
> Hin zu meiner Mutter gehen.

17

Oh, sie hat mich schon vernommen,
Leise geht sie mir entgegen,
Der ich ferne her gekommen,
Meine Stirne, meine Hände
Still in ihren Schoß zu legen.

(aus: »Traum von der Mutter«)

Ich hatte Dir so viel zu sagen.
Ich war zu lang in fremdem Land.
Und doch warst Du in all den Tagen
Die, die am besten mich verstand.

Nun, da ich meine erste Gabe,
Die ich Dir lange zugedacht,
In zagen Kinderhänden habe,
Hast Du die Augen zugemacht.

Doch darf ich fühlen, wie beim Lesen
Mein Schmerz sich wunderlich vergißt,
Weil Dein unsäglich gütig Wesen
Mit tausend Fäden um mich ist.

(aus: »An meine Mutter«)

Oft, wenn Mütter beschrieben oder dargestellt werden, auch
wenn nur von ihnen gesprochen wird, bin ich gerührt. Meine
Tränen zeugen indessen nicht nur von Trauer. Sie mischt sich
mit romantischer Verklärung, Selbstmitleid und Sehnsucht nach
der mütterlichen Gegenwart. Deshalb vermag ich die unver-
gleichliche Bedeutung meiner Mutter für mein Seelenleben wohl
noch nicht entschieden genug zu fassen. Kaum habe ich Erkenntnisse, entstehen Zweifel. Als ich 1969 begann, mich auf die Arbeit an meiner Person und Geschichte einzulassen, war es üblich,
seinen Eltern Vorwürfe zu machen. Ich reduzierte zum Beispiel
den Umgang meiner Tochter mit meiner Mutter, weil mir ihr Er-
ziehungsstil zu autoritär war. Sie reagierte trotzig und wollte
nun ihrerseits keinen Kontakt mehr mit meiner Tochter. Entwe-

der durfte sie so erziehen, wie sie es für richtig hielt, oder sie wollte nichts mit ihr zu tun haben. Einfühlsam und freundlich gingen bewegte Studenten mit ihren Eltern nicht um, eher besserwisserisch und streng, wie diese Eltern mit uns. Verstanden haben wir die ältere Generation nicht. Schließlich hatten wir nicht einmal genug Menschenkenntnis, um mit uns selbst zurechtzukommen.

In einigen Jahren tiefenpsychologisch fundierter Gespräche wuchs meine Einsicht in meine Gefühle, ihren Ursprung und in die Art, wie ich Beziehungen gestaltete. Mein Mutterbild wandelte sich. Zögernd wurde ich der dunkelblonden Eva aus dem alten Fotoalbum dankbarer. Allmählich gelang es mir, sie liebenswürdiger zu behandeln. Als sie die Widmung meiner Dissertation las, ich hatte mich für ihre »geduldige und aufopfernde Pflege« bedankt, »ohne die ich diese Arbeit nicht hätte schreiben können«, stieß sie einen langen, spitzen Schrei aus, den ich nicht vergessen werde. Viel später fiel mir auf, daß ich mich nie direkt bedankt hatte. Damals erschien mir meine Einsicht bemerkenswert, und die Widmung fand ich fortschrittlich. Es dauerte lange, ehe ich begriff, daß sie schrie, weil sie ein wenig von der Anerkennung spürte, auf die sie jahrzehntelang gewartet hatte. Daß sie schrie, weil sie einen starken Schmerz empfand, als ihr in diesem Augenblick der ungeheure Mangel an Bestätigung bewußt wurde. »Man kann nicht immer weiter wünschen«, hatte sie einmal gesagt, »wenn man zu lange vergeblich hoffen muß, wird einem schließlich alles einmal gleichgültig.«

Inzwischen gelangte ich zur Auseinandersetzung mit feministischen Erkenntnissen. Vielleicht lernte ich erst einmal das, was mir schon vertrauter war. Unsere alte Art, Konflikte zu vermeiden und uns gegenseitig zu schonen, beurteile ich heute kritisch. Wir hatten Streit begonnen, aber keine Auseinandersetzung. Gerade mit Personen, die mir wertvoll sind, möchte ich sie nicht mehr vermeiden. Je wichtiger mir jemand ist, je mehr Anteil ich an ihrem oder seinem Leben nehme, desto direkter spreche ich sie oder ihn auf seine Eigenheiten an. Je entschlossener sie oder er antwortet oder sich wehrt, je mehr Gegenseitigkeit uns erwächst, desto wohler fühle ich mich. Ich weiß, daß ich manchmal unbequem bin, und jedesmal, wenn sie oder er flieht, bin ich unglücklich. Deshalb rate ich, mit Eltern zu sprechen, solange sie uns hören. Ich rate zu einem offenen Gespräch über alles, was Kinder und Eltern betrifft. Es ist selten schädlich und niemals überflüssig. Wenn das Gespräch uns vorübergehend sehr anstrengt, sollten wir standhalten. Auf die Dauer wird es fruchtbar.

Wenn wir es vermeiden, entziehen wir den Älteren nicht nur Wohlwollen, sondern auch Entwicklungschancen. Wenn wir mit jemandem nicht mehr sprechen, bringen wir ihn um einen gewissen Teil seines Lebens, lassen ihn sterben.

Gespräche mit den Eltern erfordern besonders viel Mut, Kraft und Konsequenz. Aber auch Behutsamkeit und Geduld. Sie gelingen nicht immer, selten beim ersten Anlauf.

Meine Eltern starben, als ich noch nicht genügend Verständnis für Menschen und ihre Beziehungen hatte, um gemeinsam familiäre Geschichtsforschung zu betreiben. Nun muß ich versuchen, meine Vergangenheit ohne sie zu bewältigen. Ich spüre, daß ich mir diese Anstrengung nicht ersparen darf, ohne allerdings, daß ich Gefahr laufe, zu idealisieren, zu klagen und ungerecht zu werden. In gewissen betrüblichen Stunden wünsche ich mir manchmal, meiner Mutter noch etwas sagen zu können. Ich neige dann dazu, mich in die Vergangenheit hinein und aus der Gegenwart hinauszufühlen. Längst als überflüssig erkannte Schuldgefühle blitzen auf. Ich denke, daß ich viel versäumt habe. Früher, wenn ich meine Mutter verließ, ließ sie mich ihr Alleinsein jedesmal spüren. Ich war dann wohl entfernt von ihr, vielleicht auch grausam. Dabei fällt mir ein, daß sie mit Vorliebe eine alte, weltabgewandte Nachbarin zitierte, für die Kinder Teufel waren.

In guten Zeiten merke ich, daß ich Versäumtes nachholen kann, weil es nie zu spät dafür ist. Ihrer Distanzlosigkeit wegen war ich meist zu dicht an meiner Mutter dran. Dann weiß ich auch, daß es sehr verständnislos wäre, ein kindliches Verhalten als grausam zu bezeichnen. Ich versteife mich nicht, wie Hesse, darauf, daß meine Mutter mich von allen am besten verstanden hat. Ich vermag auch nicht zu spüren, daß ihr »unendlich gütig Wesen mit tausend Fäden um mich ist«. Dazu sehe ich ihre erbärmliche Abhängigkeit von meinem Vater, ihre melancholische Lebensbewältigung und ihre permanente Feindseligkeitserwartung zu deutlich. Darin, daß sie mich von allen am meisten verwöhnt hat, liegt wenig Güte. Als sie noch bei Kräften war, schrieb ich in mein Tagebuch: »Meine Mutter ist eine Frau von beträchtlichen persönlichen Disharmonien. Oft ist sie ungewöhnlich hilfsbereit, lieb und einfühlsam.

Immer wieder, bis in die jüngste Zeit hinein, hat sie mir interessiert zugehört und an meinem Leben erheblichen Anteil genommen. Sie half mir, mit Lebensproblemen fertig zu werden. Mit wachen und klugen Worten zeigte sie mir Wege und half mir über dunkle Stunden, hintergründige Geschehnisse und über verbohrte zwischenmenschliche Arrangements hinweg. Auf der anderen Seite stießen mich ihre geringe Frustrationstoleranz, ihre fatale Neigung zu übertriebenen emotionalen Reaktionen und ihre märtyrerinnenhafte Niedergeschlagenheit ab. Schon als ich drei Jahre war, bezeichnete sie mich als unartig und drohte mir. Ich entwickelte eine große Portion sozialer Angst und vielfältige Abwehrversuche gegen Kontaktaufnahme mit Menschen. Angebote der Eltern, hier und dort mit hinzugehen und mitzumachen, lehnte ich fast immer ab. Zeit meines Lebens war ich überzeugt, meiner Mutter immer alles erzählt zu haben. Anläßlich meiner bevorstehenden Konfirmation sagte sie dem Pfarrer: ›Der Junge erzählt zu Hause nie etwas.‹ Ich fühlte mich zutiefst bloßgestellt und falsch verstanden. Ich glaubte ihr, daß ich verschlossen sei, und ich bin ja wohl auch ein verschwiegener Mensch geworden.«

Auch in fast allen frühen Kindheitserinnerungen spielt meine Mutter die entscheidende Rolle. Ob sie mich, nach nur zwei Tagen, aus dem Kindergarten wieder herausnimmt, weil ich mit den anderen nicht essen und schlafen wollte. Ob ich mit Schild und Schwert in »Rußland«, an der Straßenecke, »Wache hielt«, um Deutschland zu bewachen. Oder ob sie die Worte der kleinen

Freundin: »Das brauchst du ja deiner Mutter nicht zu erzählen« als Charakterschwäche deutete und mir beschwörend suggerierte, daß ich ehrlicher sei. Die Unwahrheit zu sagen war mir unmöglich. Unmöglich auch, nicht das zu machen, was Mutter mir sagte, zum Beispiel nicht bei ihr zu bleiben. Schon eine eigene Entscheidung wäre mir so erschienen, als verließe ich sie.

Ich war verwöhnt und brav. Damals nannte man das artig. Ungehorsam und Unwahrhaftigkeit galten als abartig. Die Naziideologie hatte ihre Spuren hinterlassen. Auch ein Wiederholungstraum aus der frühen Kindheit symbolisiert eine Symbiose, ihre Distanzlosigkeit und meine Abhängigkeit: Unterwegs möchte ich zurück nach Hause. Unser Namensschild ist von der Wohnungstür verschwunden. Vor Entsetzen sprachlos und ohne Mut gehe ich auf die Straße zurück, irre eine Weile umher und denke nach. Ich komme zu dem Schluß, daß dies nur ein Traum sein kann, und lege mich einfach auf die Straße, mitten in den dichtesten Verkehr. Dann wache ich auf, zu meiner großen Erleichterung im Bett.

Wir wissen, daß Träume keine Schäume sind, daß wir auch in Träumen die Wahrheit über unseren Lebensplan finden. Ein so schneller Weg, findiger Weg aus der Verwirrung deutet auf eine Art Urvertrauen. Aus der Ungeborgenheit zurück in die Wärme des Nestes, phantastisch und unrealistisch, so prompt, daß die zu enge Beziehung zur Mutter sichtbar wird. Wir sehen das Festhalten eines hilflosen, angewiesenen Kindes, das über die Schwierigkeiten des Lebens im unklaren gelassen wird. Nach dem Motto: »Du brauchst keine Angst zu haben, deine Mutter verläßt dich nie.«

Keine zureichende Vorbereitung auf das Leben, sondern eine Erziehung zur Schüchternheit. Dennoch werde ich bei der Erinnerung an meine Mutter immer wieder unsicher. Es ist noch nicht alles gesagt, was mich umtreibt. Mein Mut verläßt mich, und ich ringe mit Schamgefühlen. Kurz aufblitzende Einsichten werden von unerschlossenem Gefühlswirrwarr abgelöst. Ich suche meine Betroffenheit zu zensieren. Während ich mir wünsche, gelassener zu sein, genieße ich meine Traurigkeit.

Was war eigentlich mit meinem Vater? Als Partner der Mutter versagte er, weil er sich menschlich nicht bemühte. Statt dessen wertete er sie ab, nahm sie nicht ernst, aber aus. Er sprach nicht mit ihr, sondern ließ sie mit ihren seelischen Nöten im Stich. Darum gewann sie für mich eine so fatale Bedeutung. Als verratene, fallengelassene Frau mußte sie ihren Sohn mit der eigenen Sehnsucht und der Liebesunfähigkeit des Vaters programmieren, auf eine sehr komplizierte Weise. Nun gilt es den Ariadnefaden zu finden, um aus dem Erinnerungslabyrinth herauszukommen.

Mein Vater war kein Patriarch und dennoch ein für die patriarchalische Kultur typischer Mann, ein kraftloser Geselle, der auch mit uns Kindern nicht fürsorglich umging. Mit meiner Schwester war er wohl geduldiger, während ich seiner Zuwendung nie sicher war. Er lernte nichts hinzu, was über seine technisch-kulturlose Ingenieurwelt hinausging. In dieser nüchternen Büroatmosphäre wurde nicht gesprochen, weil Dinge und Maschinen die eigentlichen Partner waren. Mein Vater liebte es, den Menschen mit einem Radioapparat zu vergleichen. Entsprechende Bedürfnisse erfüllte er sich bedenkenlos. Klar, daß die unemanzipierte Frau eines derart reduzierten Mannes in vieler Hinsicht unbefriedigt war. Wortkarg und unauffällig blieb er uns fern. Nachmittags lag er auf seiner Couch, las Zeitung, korrigierte Klausuren oder schlief. Ich half bei den Korrekturen und warb um bessere Zensuren für die Studenten. Meist wollte er seine Ruhe haben. Mit mir war er ungeduldig. Alles, was ich in die Hand nahm, ging ihm zu langsam. Heute ist mein Lieblingstier die Schnecke. Ständig mahne ich mich zur Langsamkeit und zur Ruhe. »Junge, du bist ungeschickt«, sagte mein Vater mir oft, und so wurde ich ungeschickt. Solche Prophezeiungen sind wie psychiatrische Diagnosen, grausam und inhuman, weil sie nur den einen Sinn erfüllen, den Angesprochenen zu verunsichern und mundtot zu machen. Immer wenn ich zum Beispiel Vaters Zirkelkasten benutzte, war hinterher angeblich etwas beschädigt: »Wie ungeschickt du bist!« Wenn ich den anderen etwas vorlas, in der Schule war ich darin sehr gut, verließ er kopfschüttelnd den Raum. Er mißbilligte fast alles, was ich tat.

Es mag merkwürdig klingen, aber Vaters brummige Schmähungen vermochten nicht, mich von ihm fernzuhalten. Das vollbrachte Mutter, indem sie von ihm sprach, klagend und anklagend, ohne ihm Gelegenheit zu geben, sich dazu zu äußern. Sie war nicht nur passives Opfer. Ich glaubte ihr, und er erfuhr nie, was sie mir über ihn erzählte. So mied ich ihn und traute mich nur noch, mit kniffligen Denkaufgaben zu ihm zu gehen. Meine Mutter unterband den Kontakt zwischen uns Männern, unbewußt, aber nachhaltig. Später wollte er mir eine Lebensregel vermitteln: »Schlafe nie mit einer Frau, die du nicht gegebenenfalls heiraten könntest.« Ein Ansatz zur sexuellen Aufklärung, eine dürftige pädagogische Bekundung.

Massiv mit der unbefriedigten Sehnsucht seiner Mutter infiziert, sucht der Sohn in jeder Frau die verlockende Verheißung. Er begehrt jede, die auch nur einen Hauch von Verwöhnungsbereitschaft signalisiert, und erwartet ein uneingeschränktes Entgegenkommen, wenn sie sich einmal verbunden gezeigt hat. Mein Lebenslauf belegt, wie das inszeniert und dann versteckt wird.

Ich verhärtete mich, weil ich zu unbeholfen war, um den Liebesansprüchen meiner Mutter genügen zu können. Weil kein Gegenüber da war, das frei von eigenen Zuwendungsansprüchen zum Sprechen ermutigte, schluckte ich meine Traumata hinunter. Ein Mann, der so heranwächst, spaltet Weibliches von sich ab, weil es ihm Unglücklichsein, In-Lebensgefahr-Sein bedeutet.

Mein Mannsein entwickelt sich bis in die Gegenwart hinein in der Auseinandersetzung mit dem mütterlichen Einfluß. Meine Mutter dachte mir die Lebensaufgabe zu, sie aus ihrer Einsamkeit und aus ihren Sinnlosigkeitsgefühlen zu erlösen. Sie wird auch an andere Menschen Rettungsaufträge gerichtet haben, aber ich war lange Zeit der einzige, der immer empfangsbereit dafür war. Nur ich war immer mit ihr zusammen. Aus ihren vergeblichen Notsignalen erwuchsen mir destruktive Trauergefühle.

Am eindringlichsten konzentrierte sich die Zumutung, sie zu

bergen und ihr Dasein zu erleichtern, in zwei Worten, die sie aussprach, wenn die Bedrängung zu stark und ihr ganz elend war. Sie ging mit mir beiseite, nahm mich in die Arme und beschwor mit einer bald flehentlichen, bald begütigenden Miene das innerste Dogma meiner Mutter-Religion: »Wir beide!« Gläubige suchen sich in Krisenzeiten ihres Gottes und seiner Gnade zu vergewissern, indem sie beten. Meine Mutter nahm sich meine Anteilnahme in dieser zärtlich-schmerzhaften Berührung: »Wir beide – nicht?« Dies war ein sakraler Akt, der uns durch einen sinnlich-seelischen Intimkontakt magisch zu einem Wesen zusammenschmolz. In Momenten solcher Feierlichkeit gab sie mir zu verstehen, daß sie mich meiner Schwester vorzog. Gemeinsam sollten wir gegen die böse Welt zusammenstehen. Nicht nur ihr Mann und ihr Vater, auch ihre Schwester und die Schwiegermutter standen außerhalb unseres mystischen Vermütterlichungszirkels, eigentlich alle anderen, sofern sie nicht zufällig und vorübergehend in unsere Trutzburg aus Weltschmerz und Mißtrauen einzubauen waren.

Georges Simenon läßt in seinem »Brief an die Mutter« schwer Auszusprechendes nachfühlen. Er ist ein authentisches Zeugnis für die männliche Kalamität, aus deren Fesseln wir uns so selten befreien. »In Wahrheit geht es nur um uns beide«, schreibt er schonend, wie um die Mutter zu trösten, darum bangend, es nicht zu vermögen. Kurz vor ihrem Tod saß er in ihrem Krankenzimmer und versuchte seine heftig sich hervordrängenden Erinnerungen unter eine besänftigende Kontrolle zu bringen. Fast alles konnte er ihr verzeihen. Sie blieb das »aus dem Nest gefallene Vögelchen«. Er duldete, was diese vom Mann verlassene Frau ihm antat, wie wenn er unerbittlich zur Nachgiebigkeit verurteilt wäre. Auch er trug an ihrer Last, ohne sie je wirklich entlasten zu können. Auch bei ihm sehen wir eine unnötige, ungerechte und grausame Belastung eines hilflosen Sohnes, die er ihr nicht übelnehmen konnte: »Ich bin Dir darum nicht böse«, schreibt er, »Ich erinnere mich ohne Groll« und »Ich verurteile Dich nicht«. Simenons Brief erreichte die Mutter nicht mehr. Genauso wie der »Brief an den Vater« des am Vater erkrankten

Franz Kafka diesen nicht erreichte, weil er ihn niemals abzuschicken wagte. Simenons Mutter starb wenige Tage nachdem sein Brief fertig war. Hier handelt es sich nicht um Zufälle. Meiner Mutter das, was ich hier niederschreibe, zur Kenntnis zu bringen, hätte ich als grausam empfunden. Wieso eigentlich? Wir Söhne vermögen nicht, unsere Eltern mit dem Groll zu konfrontieren, der unsere Not mit ihnen offenkundig machte. Geärgert und genervt haben wir die Eltern oft, Nebenkriegsschauplätze eröffnet, weil wir das Entscheidende, das Prekäre nicht enthüllen mochten, wodurch die Beziehungen vielleicht noch hätten unterstützt werden können.

Ich hätte beanstanden müssen, daß meine Mutter mir zu viel zumutete, indem sie mir *Geständnisse* machte, die sie mit niemandem wirklich durchgesprochen hätte. Ich schwieg dazu und schluckte unverdauliche Gefühle hinunter. Womöglich war ich der einzige Mensch, dem meine Mutter vertraut hat. Wer weiß, wie viele einsame Frauen sich einen solchen Sohn wünschen? Endlich einen Mann, vor dem sie keine Angst haben, den sie nicht verdächtigen. Als ich noch zu unreif war, um zu begreifen, erzählte sie mir geheimnisvoll und traurig von Vaters Verfehlungen, zum Beispiel davon, daß sie in seinem Anzug Präservative gefunden hätte. Tränen begleiteten diese Enthüllungen, und seine Schmach wurde mein Kummer. Ich hätte nicht gewagt, meinen Vater anzusprechen. Es blieb Mutters und mein Geheimnis. Sie setzte den Keim eines im Undurchdringlichen wachsenden, andere ausschließenden Schweigens: Wir beide nur wissen es, kein anderer darf es je erfahren. Wie könnte sie plausibel machen, einen Zwölfjährigen so brutal mit Konflikten zu befrachten?

Mir erwuchs nicht nur Verachtung für die *Fehltritte* der Menschen, sondern eine trübsinnige Art von Hochmut. Nur *wir beide* blieben unschuldig arrogant. Überall witterte Mutter, daß man gemein zu ihr war. Ihre Stimmungswelt bestand aus trennenden Gefühlen. Es war ihr nicht anders möglich. Wie aber sollte ich diese Situation prüfen und sie differenziert beurteilen? Meine Mutter hat nicht gelogen. Sie war auch nicht gemein.

Aber sie war allein und ich ihr einziger Trumpf. *Wir beide* fühlten uns wie Josef K. in jenem Prozeß, der ohne Angeklagten stattfindet. Er erhält nie Gelegenheit, sich zu verteidigen, erfährt nie den Wortlaut der Anklage. Grenzenlos ohnmächtig irrt er durch Räume, die es nicht geben kann, trifft Menschen ohne Augen und Ohren, findet niemals Unterstützung. Josef K. wurde abgeurteilt. Man stellte ihn, weil man ihn jederzeit unter Kontrolle hatte. Nie hatte er auch nur die winzigste Chance gehabt. Ich verstehe Josef K., aber ich fühle mich dennoch jenseits von Gut und Böse. Womit habe ich für diese tröstlichen Gefühle bezahlt?

Auf ihre Art muß mich meine Mutter geliebt haben. Offenbar habe ich in ihrer Angstzone Spuren von Geborgenheit entdeckt. Und ich wußte sie mir zu eigen zu machen. Vielleicht weil mein Unbewußtes an ihres eine überzeugende Beschwörungsformel sendete, deren symbiotische Kraftlosigkeit für Muttersöhne charakteristisch ist: »Ich kritisiere dich nicht, weil ich dich brauche, und ich belüge dich nicht, weil ich Angst um dich habe. Mir gegenüber brauchst du nicht mißtrauisch zu sein, ich stehe zu dir und zu niemandem sonst. Ich bin beruhigt, wenn du glücklich bist.« Aber selbst ein masochistisches Abdanken als Person hätte ihr nicht geholfen. Sie hatte weiter keine Freude am Leben und vergoß Ströme von Tränen im zugesperrten Zimmer. Dadurch wurden wir für Stunden getrennt, aber nur räumlich. Emotional blieben wir krampfartig verklammert. Ihr herzzerreißendes Schluchzen hinter der Tür hüllte mich in die Depression. Unentrinnbar. Ich litt panische Angst, sie könne sich aus dem Fenster stürzen. Ihr Stoßseufzer, am liebsten nicht mehr zu leben, marterte mich. Als ich in der elften Klasse war, rannte ich anderthalb Kilometer nach Hause, gehetzt von der Vision, daß sie, die krank allein lag, sich etwas antun könnte. Sie hätte das nicht übers Herz gebracht, aber sie hat es übers Herz gebracht, mich darüber im ungewissen zu lassen.

Ihr Leben lang hatte sie sich eigentlich nur von einem einzigen Menschen geliebt gefühlt, von ihrer Mutter. Ein einzelner Mensch genügt nie. Großmutter war lange tot, und nun war ich für sie dieser einzige Mensch. Dieses lebensunfreundliche Zwei-ohne-Dritte-Modell wurde wiederholt, wenigstens solange ich nicht ohne sie leben konnte. Als ich unabhängiger wurde, äußerte sie auch an mir Zweifel. So deute ich meine Schwierigkeiten, meine Lebensgefährtin in Gegenwart Dritter immer freundlich und zuvorkommend zu umwerben: In meiner Kindheit entlasteten mich Dritte, weil Mutter sie nicht so offen in ihre Misere einweihte. In ihrer Gegenwart durfte ich übermütig werden. *Wir-beide*-Fesselungen, zärtlich, aber besitzergreifend, sehnsuchtsschwanger verdüstert, schlossen weder einen gemeinsamen noch meinen persönlichen Zugang zu anderen Menschen ein. Deshalb waren mir Zusammenkünfte von mehr als zwei Personen in früheren Zeiten schwer zugänglich. Von gewissen Beziehungen war ich nicht fernzuhalten. Seit ich aber mit Mädchen Kontakt suchte, legte Mutter noch mehr Nachdruck auf die emotionale Ausschließlichkeit unserer Beziehung. Ihrem Exklusivitätsanspruch entsprechend äußerte sie meinen Freundinnen gegenüber Skepsis. Nur eine absolut angepaßte und bedingungslos Liebende hätte ihr entsprochen. Eine Frau, die es nicht gewagt hätte, der Mutter den Sohn wegzunehmen. Unsere Welt sollte die Zweierbeziehung bleiben, das ärmlichste aller Beziehungsmodelle. Mutters Fragen waren wie Vernehmungen: »Liebt sie dich auch wirklich? Bist du glücklich mit ihr? Ist sie die Richtige für dich?«

Als ich mich mit meiner ersten Frau verlobte, brach meine Mutter in Tränen aus und war kaum zu beruhigen. Nicht nur die unrealistisch, aber hartnäckig verfochtene Fiktion von der *richtigen* Partnerin, auch die unnachsichtige Bedingung der vollkommenen Liebe machte Mutters Mißtrauensbekundungen zu einem Alptraum. Ich wußte noch nicht, daß eine Beziehung nicht von selbst dasein, sondern nur gemeinsam geduldig aufgebaut werden kann. Darum litt ich unter Mutters bohrenden Fragen. Sie trafen mich an einer sehr schwachen Stelle. Nicht nur nicht zufriedenstellend, überhaupt nicht konnte ich diese Fragen beantworten, sie aber auch nicht abwehren. Jedesmal fühlte ich mich ertappt und gescheitert. Und ich regte mich auf.

Noch jahrelang lebte ich im Schatten der verinnerlichten mütterlichen Verlassenheitsängste. Erst Irmgards unerschütterliche Treue und Geduld vermochte mich eines Besseren zu belehren und das mütterliche Dunkel etwas zu lichten. Ich erlebte zum ersten Mal, daß jemand ohne Rückzugsandrohung zu mir steht.

Dagegen muß ich Irmgard unberechenbar und labil erschienen sein. Selten fragte ich mich nach meiner Liebesfähigkeit. Nie fragte ich sie, ob sie sich von mir geliebt fühlt. Ich nörgelte, unterminierte und belästigte ihre Gefühle nur. Mein Mißtrauen stammte aus Mutters Alpträumen, nicht aus unserer Lebenswirklichkeit. Nähe zur Mutter hatte Entfremdung zu allen anderen Personen bedeutet. So hatte ich gelernt, Nähe zu fürchten, Nachbarschaft zu vermeiden. Tuchfühlung bedeutete Distanzlosigkeit, Verbannung in die Muttergefühle. Berührungen führten zur Übertragung in Mutters Trauer und Depression. Es ist klar, warum ich typisch männlich fühlte, distanziert und verschlossen, daß ich außerdem keine Ahnung davon hatte, mich nähefähig und aufgeschlossen wähnte, gefühlvoll sogar. Angst vor Nähe hatte ich, weil in Mutters Zuwendung Unfreiheit war, der Zwang zur Treue, das Gesetz, zu anderen Distanz zu halten. Zu dieser Gewalt gehörte das permanente Duell mit Vorwürfen, die zu wechselseitigen Schuldgefühlen und zum Gegenteil von Freilassen führten.

Meine Mutter war eine Sorgensammlerin. Auf typisch anständige Weise speicherte sie Kümmernisse wie andere Leute Bücher. Ihr Reichtum an Sorgen wuchs ständig, nicht zuletzt durch mich. Das war bedauernswert und entmutigend zugleich. Denn ich war es vor allem, der ihr stets neue Sorgen machte, weil ich zu sensibel war. Der Lehrer schrieb das in mein Zeugnis, schon als ich acht Jahre war. Mutters Sorgen türmten sich zur Befestigungsanlage einer Familie auf, in der hysterisch nach Unglück gesucht und neue Fundstücke zwanghaft in den Wall eingebaut wurden. Eine Kleinfamilie weist eigentlich alle psychopathologischen Symptome auf. Nichts wurde ausgelassen, um den Status quo des *Wir beide* zu erhalten, und so werden es viele heranwachsende Söhne erleben. Sorgen sammelnd, die ich machte, stempelte Mutter mich auf sublime Weise zum Versager. Ich spürte ihre potentiellen Sorgen immer zu spät, war aber für ihre Stimmung verantwortlich.

Sie fand nasse Taschentücher unter meinem Kopfkissen und erzählte mir, daß man krank würde, wenn man an sich herumspiele. Sie fragte mich nur pro forma, denn es war klar, daß ich schweigen würde. Ihr *Vertrauen* hatte ich enttäuscht, wie der Vater. Und mir stand es auf der Stirn geschrieben, wie sie sich ausdrückte. Meine Naivität bewahrte mich vor den schlimmsten Vorwürfen, aber Hilfe bekam ich nicht.

Sie hat sich zwar oft mit mir beschäftigt, mit kleinen und kleinsten Regungen. Mit harmlosen Gedanken, rührenden Gefühlen und kindlichen Absichten. Sie hörte förmlich das Gras wachsen. Andere Gefühle aber, Angst- und Schuldgefühle, schlimme und eigensinnige Gedanken, ehrgeizige und raffinierte Absichten wollte sie nicht spüren. Sie leugnete sie, nahm mich damit nicht an und verweigerte die Hilfe. Ich sollte nicht wie der Vater sein, nicht einmal in Spuren.

Auch Julie Kafka, die Mutter von Franz, war immer überzeugt davon, ihren Sohn geliebt zu haben. Alice Miller meldet Zweifel an. In »Du sollst nicht merken« belegt sie, daß Mutter Kafkas Aufmerksamkeit die wichtigsten Bedürfnisse ihres Sohnes entgangen sind. Franz schrieb an Felice Bauer, daß er mit seiner Mutter in den letzten zwanzig Jahren täglich kaum zwanzig, mit dem Vater allerdings noch wesentlich weniger Worte gewechselt habe.

Ohne das Gespräch mit ihrem Sohn zu suchen und zu pflegen, kann eine Mutter die Illusion von Liebe aufrechterhalten. Sie muß ihn dazu ermutigen, indem sie von sich erzählt, ohne ihn mit ihren Problemen zu überfordern.

Ich kam nicht als Schweiger auf die Welt und habe die Redehemmung auch nicht geerbt. Der Vater demonstrierte sie, und die Reaktionen der Mutter mir gegenüber zwangen sie mir auf. Hätte sie sich mit ihrem Kummer auch an andere gewandt, Hilfe erhalten und mir davon erzählt, dann wäre ich heute anders. Eine Person zu kennen und zu erleben, die meiner Mutter wirklich zugehört hätte, wäre Ansporn zum Sprechen gewesen. Diese Beziehung hätte mir wohlgetan.

Luise Eichenbaum und Susie Orbach untersuchten die Ansprüche, die Mütter an Töchter stellen (Feministische Psychotherapie): »An ihre Söhne stellen die Mütter nicht dieselben Ansprüche. Ein wesentlicher Bestandteil der Erfahrungen einer Mutter mit ihrem Sohn ist von seiner frühen Kindheit an, daß sie weiß und akzeptiert: Er wird ein eigenständiger Mensch werden; er wird ein Mann werden, in die Welt hinausgehen und sich einer eigenen Familie verpflichten« (ebd. 55). So einfach ist es nicht. Neben gesichertem betraten die Frauen auch unsicheres Terrain. Meine Mutter hat nie akzeptiert, daß ich eigenständig wurde. Sie stellte große Ansprüche an mich, nicht nur weil der Vater ausfiel, sondern auch, weil sie selbst nicht eigenständig war. Je näher der Sohn seiner Mutter, desto mehr übernimmt er von ihr auch Defizite. Meine Not kann nicht in der Frauenbewegung aufgearbeitet werden. Jetzt sind wir Männer an der Reihe, aber wir dürfen nicht schmollen.

Alice Schwarzer verglich das Totschweigen der Bedürfnisse einer Mutter in der Familie mit dem der Frauenbewegung im Patriarchat. Sie spricht von einem Männerkomplott (A. Schwarzer, Mit Leidenschaft, 120 ff.). Die schweigende Gewalt dieses Komplotts sehe ich. Die Väter, die sich aus dem Staube machen. Ich sehe auch die an Einfluß verlierenden mutigen Feministinnen, denen Männer nicht zuhören. Aber auch die Gefahr, daß sie für uns Männer nicht genug tun können, auch für die eigenen Söhne nicht, wie ich fürchte.

Ein Männerkomplott gab es bei uns nicht, statt dessen Mutters magische Formel *Wir beide,* die eine unter äußerem Druck entstandene, später gewünschte und geforderte Verschwörung der Ohnmächtigen versinnbildlicht: das Mutter-Sohn-Komplott. Natürlich funktioniert es nicht, weil es aus verzweifelter Not entsteht. Es richtet sich gegen den Sohn, gegen die Frauen der nächsten Generation, gegen die Töchter der Söhne usw. Es verkehrt sich in sein Gegenteil und unterstützt das Männerkomplott.

Nur weil ich mit der Mutter verschworen war, lernte ich, mich energisch gegen das seelische Leid anderer abzuschirmen, bedingungslos auf die Mutter konzentriert. Verzweifelt wurde das gegenseitige Im-Stich-Lassen zum Lebensprinzip. Mir ist klar, daß meine Mutter das nicht gewollt hat. Ich hätte so gern noch einmal mit ihr über das Wichtige im Leben gesprochen. Darüber, daß wir uns liebten, indem wir uns belasteten, daß eine Mutter ihren Sohn freilassen muß. Ich hätte sie so gerne unterstützt, sich gute Freunde zu suchen, sich tragfähige Beziehungen aufzubauen. Aber ich hätte es wohl nicht gewagt, ihr zu sagen, daß sie zu wenig behutsam mit mir war, daß ihr unvorsichtiges Sprechen mich zum Schweiger machte, daß sie sich nicht vergewissert hat, was ich hören und verkraften konnte und was nicht. Also hätte ich es ihr erspart, sich damit auseinanderzusetzen, daß es eine Offenheit gibt, die sich unbarmherzig über die Schmerzen des schweigenden Hörers hinwegsetzt. Ich hätte ihr nicht mehr zugemutet, sich damit auseinanderzusetzen, weil sie schon zu alt war, zu einsam und zu schwach.

Oder hätte ich ihr all das doch noch zumuten sollen? Manchmal denke ich, daß sie verstanden hätte, auch im hohen Alter noch, was es heißt, an sich zu arbeiten, wenn nur jemand in ihrer Nähe gewesen wäre, der ihr rechtzeitig diese Möglichkeit eröffnet hätte.

3. Hinausgezögerte Abnabelung
auf Schulbänken

Wenn meine Mutter wütend auf mich wurde, ging es mir schlagartig besser. Das ist nicht unbedingt wörtlich gemeint. Mit ihrer Wut konnte ich besser umgehen als mit ihrer Verzweiflung. Aber Tränen gab es öfter, sie waren garantiert. Mutter sang mir oft das Lied vom kleinen Hänschen vor, das in die Welt hineingeht. Als seine Mutter weint, weil sie kein Hänschen mehr hat, besinnt das Kind sich und kehrt nach Hause zurück. Dabei war er mutig, wollte sich die Welt erschließen und fühlte sich wohl. Warum war die Mutter mit ihm nicht zufrieden? Unserem heutigen Ideal von Ichstärke entspricht er.

Unser Volk schuf den Müttern Lieder, die Abhängigkeiten aufrechterhalten, Kinderlieder, die Kindern angst machen sollen. Warum weint die Mutter, wenn der Sohn geht? Weil der Mann schon lange weg ist? Der Sohn soll sie bedauern, auch weinen, wenn er den Impuls verspürt, sich selbständig zu machen. Er ist gut erzogen und weiß, was er ihr schuldet. Wenn er ein Gefühl kennt, dann das Schuldgefühl gegenüber seiner Mutter. Bei diesem Lied sollte uns beklommen werden. Wir sollten vom Gehorsam wissen, von der Entmutigung und von den fesselnden Schuldgefühlen, die uns am Eigenleben hindern.

Ich wurde mit solchen Liedern geimpft, als ich noch nicht sprechen und denken konnte. Sie sitzen mir im Gemüt. Und Vater photographierte mich mit seinem Hut und Großvaters Stock. Alle Verwandten waren entzückt. Sie lachten und fanden mich überaus niedlich. Aber was hat das damit zu tun, daß es mir besser ging, wenn meine Mutter wütend auf mich war? Ihr Zorn belastete mich nicht, weil ich mich dann nicht für sie verantwortlich fühlte. Dann konnte ich gehen. Ihre Gereiztheit überließ mich mir selber, glücklicherweise. Man spricht nicht umsonst von trennenden Affekten. Wir müssen nur noch auf ihre erfreulichen Aspekte aufmerksam machen. Mit meinen eigenen Gefühlen meinte ich schon fertig zu werden. Mutters depressive Stimmung war mir unerträglich, weil sie mich handlungsunfähig machte. Ich konnte keine selbständige und starke Mutter haben.

Nun hatte ich eine, die wenigstens noch ab und zu wütend wurde. Ihre Entlastung durch hemmungslose Erbostheit wurde zu meiner. So kam es, daß ich selbst froh war, wenn ich sie wütend gemacht hatte. Ihre Empörung zeigte mir ihren Lebenswillen. Ich konnte mich schützen, indem ich meine Mutter wütend machte. Es klingt paradox, aber es erklärt die Entstehung mancher schwer einfühlbarer Charakterzüge, zum Beispiel den Masochismus, dem alles bedrängender ist als die Wut des anderen. Für manche Menschen ist es leichter, nur sich selbst zu fühlen, sei es auch schlecht, als die Bedrängnis anderer, für die sie sich verantwortlich wähnen. Diese Lebenslinie entfaltet das geheime Ziel des Masochismus. Mutters Affekte, ihre hektische, gegen mich gerichtete Aufregung ließen mich ihre Einsamkeit und Not vergessen. Und damit vergaß ich meine unlösbare Lebensaufgabe, ihre Rettung, zumindest vorübergehend.

Hierin liegt aber auch die Erklärung dafür, warum ich nicht weiblicher wurde. Wut war Kraft und Unabhängigkeit, Melancholie war Ohnmacht, Frausein und Gemütsverwirrung, Mutters alltägliche Befindlichkeit. Denn selbstverständlich war sie viel zu selten wütend, besonders gegenüber meinem Vater.

Die Depression der Frauen in der patriarchalischen Gesellschaft ist das psychische Äquivalent ihrer Unterdrückung und Abhängigkeit. Wer aber eine depressive Mutter hat, lernt auch alle anderen weiblichen Haltungen als Unwerte zu empfinden und die männlichen zu bewundern. Nur wenn wir diese Finalität der Gefühle erfassen, begreifen wir, warum Muttersöhne, und das sind alle Männer, bestimmte Emotionen nicht zulassen.

Ohne mir über mein männliches Gefühlsleben Aufschluß zu verschaffen, hätte ich den Weg aus Mutters Bannkreis heraus nicht gefunden. Auch die Kompliziertheit meines zaudernden schulischen Spazierganges hätte sich mir nicht erschlossen. Man hört, daß Söhne ihren Vätern nacheifern, daß sie spezielle Motivationen und Interessen in der Beziehung, durch Identifikation, oft auch in der Auseinandersetzung mit dem Vater entwickeln. Mein Wegweiser war die Mutter, auf eine unübersichtliche, labyrinthische und widersprüchliche Art. Sie war vor allem die hervorragende moralische, Über-Ich bildende Instanz. Außerdem dachte sie mir zwei Berufspläne zu, den einen ausdrücklich, den anderen verschlüsselt. Den bewußten habe ich nicht, den unbewußten energisch erfüllt.

Bewußt war ihr, daß es für mich lohnend wäre, mit dem Vater zu wetteifern, am besten, ihn zu überholen. Wissenschaftler werden, davon schwärmte sie, einer glorifizierten literarischen Jugendreminiszenz folgend. Grandiose Aufgaben, denen der Vater sich nicht gestellt hatte, Ideale, die sie ihm andichtete, wurden mir zugewiesen: Pioniertaten, unerschrocken, kühn und selbstlos. Sie diktierte, daß ich integer und tüchtig, nicht wie der Vater werden sollte, vor allem sauber, ein reiner Tor, wie Parzifal. Fleiß und Intelligenz waren ebenfalls hohe Werte.

Meine Mutter hatte ähnliche Wünsche gehegt und Pläne gemacht, ihr Vater aber dagegen Widerstand geleistet, als sie studieren wollte. Dafür haßte sie ihn. Mein Vater führte mich nicht an die Möglichkeiten partnerschaftlicher Anteilnahme heran, aber er verlockte mich auch nicht zum Arbeiten. Ursprünglich wollte er keine Kinder. Er hatte die Weltwirtschaftskrise, den Ersten Weltkrieg und Hitlers Machtergreifung erlebt und sah keine Perspektive. Er heiratete dann doch. Ich fürchte, daß er meine Geburt bedauert hat. Abgesehen von einigen hübschen Kleinkinderphotos blieb nichts, was eine väterliche Bemühung ausdrückte. Mir ist, als hätte es nur Mutter gegeben. Auch später war er nicht fähig, mich für die Welt des Lernens zu begeistern. Er war selbst nicht wirklich interessiert an seiner Arbeit. Nie hat er mir ein Buch empfohlen oder von sich erzählt. Nicht einmal Schwimmen oder Radfahren konnte er mir beibringen, weil er viel zu ungeduldig war. Wenn ich nicht sofort begriff, gab er so etwas wutentbrannt wieder auf. So lernte ich das Radfahren von meinem gutmütigen Großvater. Ganz schnell übrigens. Er hatte mehr Vertrauen in meinen Mut.

An neue Aktivitäten ging ich immer vorsichtig heran, übte enorm lange, für mich allein, weil ich dann viele Fehler machen durfte. Zögernd, aber geduldig üben wurde meine Gangart beim Studieren, Dozieren, Sprechen usw. Erst als Erwachsener lernte ich, andere um Beistand und Kritik zu bitten.

Vater hatte die anstrengende, Menschen entfremdende Trennung von Berufs- und Privatsphäre strikt vollzogen. Als Dozent und Ingenieur schien er engagiert. Bei den besseren Studenten kam seine Begeisterung an, sie mochten ihn. Wie ist er wohl mit den langsameren, ungeschickteren umgegangen? Bestimmt haben sie ihn an seinen Sohn erinnert. Zu Hause führte er eine schattenhafte Existenz als bloßer Wohngenosse. Mit Mutter und mir war er meist unzufrieden, müde und uninteressiert. Meine Schwester dagegen gewann ihn für sich. Ich sah ihn Klausuren korrigieren, nachmittags, bis in die Nacht hinein, oder schlafen, verärgert hochfahren, wenn ich die Tür nicht leise schloß. Wieso hat er sich nicht abgegrenzt, um diese Störungen zu verhindern? Offenbar litt er auch unter Distanzlosigkeit.

Mit ihm habe ich mich weder beruflich noch privat identifiziert. Mit wem aber dann? Daß es Mutter gewesen sein muß, diese schnelle Antwort leuchtete mir noch nie ein. Mit einigen Charakterzügen der Mutter habe ich mich identifiziert und mit anderen nicht. Manches »Mütterliche« wehrte ich geradezu fanatisch ab. Eher trifft es zu, daß ich, stellvertretend, das ungelebte Leben meiner Mutter führte, ihrem Ich-Ideal entsprechend. Eine vollständige personale Identifikation hat jedenfalls nicht stattgefunden.

Womit identifiziert sich ein Kind? Mit der Realität der Eltern oder ihren Phantasien? Mit ihrer Leistung oder ihren Lücken? Mit ihrer Freude oder ihrer Depression? Ich identifizierte mich mit vielem, was meine Mutter vermied, bis zur Überkompensation. Mit ihrem unterdrückten Freiheitswillen, bis zur fixen Idee einer totalen persönlichen Autonomie. Mit der fehlenden beruflichen Eigenständigkeit, bis zur radikalen Ablehnung jeglicher hierarchischen Organisation. Mit ihrer mangelnden Fähigkeit zur Auseinandersetzung, bis zum hartnäckigen Festhalten unfruchtbarer kämpferischer Gefühle. Verständlicherweise fühlte ich mich auch in jene Charakterzüge ein, die ihr Entlastung verschafften: in ihren Ärger und ihre Wut, bis zu hysterischen Attitüden und psychosomatischen Symptomen. An ihnen nahm ich emphatisch Anteil und hielt sie kompromißlos fest.

Mutters unerträgliche defensive Realität dagegen und alle defizitären Charakterzüge wehrte ich ab. Ihren übertriebenen Kummer, ihre zähe Melancholie und ihre fürchterlichen Suizidanwandlungen, in deren Gefolge auch manche ihrer unleugbaren, die brüchige Familie zusammenhaltenden Stärken. Sie hatte bisweilen einen umwerfenden Humor und konnte hemmungslos lustig sein. Sie zeigte Gefühle, wenn es ihr gutging, und ließ andere daran teilhaben. Sie schuf eine Atmosphäre von Wärme und Geborgenheit. Sie sprach gerne über Menschen, deren Probleme und Träume. Sie war großzügig mit Geld und Geschenken, und sie konnte in Konfliktfällen einlenken. Ich weiß das genau, weil sie auf der anderen Seite auch tagelang beleidigt schweigen konnte und ich mich erinnere, wie erleichtert ich war, wenn sie wieder auf mich zuging. Es dauerte lange, bis ich jene Zonen der Person der Mutter kennenlernte, die ich entweder widerwillig, auf Grund von Überforderungsgefühlen, abwehrte oder mir nicht aneignen mußte, weil sie sie allzu freigebig verschenkte, ohne mich zur Identifikation anzuleiten. In jüngeren Jahren bemühte ich mich nicht darum, meine Mutter als psychische Ganzheit zu erfassen, verdrängte im Gegenteil sofort, wenn sie nur einen Bruchteil der abgespaltenen Bereitschaften signalisierte.

Hätte ich mit dem dritten Auge gesehen, dann hätte ich Farbigkeit wahrnehmen und Farbe bekennen müssen. Mein Unvermögen entsprang keiner Aversion. Eine differenzierte emotionale Einstellung, Wechsel zwischen Nähe und Distanz, war ebenfalls unmöglich. Die Verleugnung ging so weit, daß ich beim Tod meiner Mutter nicht anwesend sein konnte. Nicht einmal ansehen konnte ich mir die Tote. Als es mit ihr zu Ende ging, brachte ich es kaum übers Herz, sie zu besuchen. Ich flüchtete,

37

vor Entsetzen fast wie besinnungslos, aber doch noch ärgerlich. Sie rang mit dem Tode und starb ohne Beistand. Am liebsten hätte ich meinem Vater Vorwürfe gemacht, daß er beim Tod seiner Frau nicht da war. Aber er war achtzehn Jahre vorher gestorben. Warum hatte er uns im Stich gelassen? Der Tod verwirrt mich, ich kann die Faktizität der Beendigung meiner Existenz noch nicht in Betracht ziehen. Ich hoffe allerdings, daß es mir nicht noch einmal, wie beim Tod meiner Mutter, passiert, in einer so bedrückenden Weise menschlich zu versagen, weiß andererseits, daß ich dem Tod naiv gegenüberstehe, und ahne, daß ich nicht zuletzt deswegen kindlich geblieben bin.

Verwöhnung

Schon in der frühen Kindheit enthob man mich gewisser Entwicklungsanforderungen durch eine Verzögerung meines seelischen Wachstums. Ich blieb lange Kind und klammerte mich nostalgisch an kindliche Charakterzüge und Gefühle. In den ersten Kindheitsjahren muß das Leben verführerisch und verlockend gewesen sein. Ich kann mich nur nicht mehr so recht daran erinnern. Etwa mit fünfzehn Jahren spielte ich mit Vorliebe zwei unterschiedliche Rollen, je nachdem ich in der Schule war oder zwischen den Häusern. Vormittags war ich der ernste, vernünftige, angestrengte zukünftige Forscher und nachmittags ein fröhlicher, alberner, unbesiegbarer Abenteurer. Inzwischen war ich aber von allen Spielkameraden als einziger auf den Plätzen der unbeschwerten Kindheit zurückgeblieben. Eines Tages merkte ich, daß die anderen nicht mehr kamen, und ich vermißte sie. Wir waren immerhin fast zehn Jahre lang unzertrennlich gewesen. Warum sollte das aufhören? Warum wollte ich nicht erwachsen werden? Es gibt mehrere Gründe.

Meine Eltern zeigten mir nicht, daß ein Erwachsenenleben glücklich machen kann. Ich wünschte dringend, dieser verdüsterten Existenz und ihrer Bedrückung zu entgehen. Zum zweiten hat meine Mutter im tiefsten Inneren nicht gewollt, daß ich ihr entwachse. Das war Hauptmotiv ihrer Verzärtelung, der konsequenten Entwöhnung von altersgemäßen Belastungen und Schwierigkeiten. Zu oft *beruhigte* sie mich, zum Beispiel mit Baldriantropfen, schickte mich *übermüdet* schlafen oder hielt mich *überanstrengt* von der Schule fern. Immer sollte ich mich erholen und ausspannen. Sie suggerierte mir damit, daß vieles für mich unüberwindlich sei. Solche Verwöhnung stärkt den Menschen nicht, sondern behindert ihn. In mir setzte sich die Idee fest, daß ich eigentlich für alles mögliche zu schwach bin. Später habe ich tatsächlich viele Komplikationen des Lebens unbewältigt gelassen oder ihre Lösung aufgeschoben. Indem ich auf Schonung plädierte, kokettierte ich mit einer eingebildeten Schwäche. Als ich in der zwölften Klasse war, besuchte meine Mutter ohne mein Wissen die Lehrer und legte ihnen nahe, mich nicht zu versetzen, ich sei noch nicht reif genug. Später erfuhr ich, daß ich es hätte schaffen können. *Verständnisvoll* hatten die Lehrer ihr entsprochen, obwohl meine Zensuren nicht so schlecht waren.

Ich war gar nicht traurig, denn in der neuen Klasse ging es mir viel besser. Nun gehörte ich zu den erfolgreichen Schülern, und mein Selbstvertrauen wuchs. Als ich Jahre später hörte, was hinter meinem Rücken geschehen war, nahm ich es zufrieden hin. Ich war meiner Mutter für diese Initiative dankbar. Sie hatte mir ein Jahr unbeschwerter Jugend geschenkt. Bedenklich scheint mir nur, daß sie mir nicht zutraute, vorher mit mir über ihr Vorhaben zu sprechen. Verwöhnung und Bevormundung hängen tatsächlich eng miteinander zusammen.

Unnötige Hilfe ist keine Hilfe. Bei dem, der sie empfängt, setzt sich die Fiktion der Überforderung fest. Der Verwöhnte zeigt dem Gelingen gegenüber eine merkwürdige Phobie. Seine Angst vor dem Erwachsenwerden zeigt sich in der Zähigkeit des zeitlichen Hinausschiebens. Er hat Angst vor jedem Ergebnis, entwickelt einen Willen zum Mißerfolg. Noch heute ertappe ich mich bei dem Zwangsgedanken, kurz vor einem Durchbruch schwer zu erkranken. Die Erfolgsphobie ist eine Angst vor dem Leben, vor der Übernahme von Verantwortung, vor dem freien Stehen auf den eigenen Füßen.

Der dritte Grund für meine lange Kindheit war der Wunsch, ja die Notwendigkeit, von meiner Mutter weiterhin geliebt zu werden. Als Erwachsener wäre ich womöglich Vater ähnlicher und ihr verdächtig geworden. Ich hätte mehr gefordert und sie mich vielleicht gehaßt. Als kindlicher Sohn war ich zutraulich und harmlos. Weiter auf die magische Helferin angewiesen, die den Überblick und die Macht behielt. Nur im Traum probierte ich Unabhängigkeit, Weggehen von zu Hause. Jede kleinste Veränderung der gegenwärtigen Lebensumstände schien mich zu bedrohen. Ein irgendwann erwogener Wohnungswechsel kam mir wie die drohende Katastrophe vor und verursachte – ich war zehn – solche Angst, daß meine Eltern davon Abstand nahmen. Jedenfalls erlaubten sie mir diese Illusion.

Der vierte Grund meiner ausgedehnten Jugend ist der gravierendste, vielleicht am schwersten nachvollziehbar. Ganz offensichtlich wartete ich deshalb so lange auf mein eigenes Leben, weil die Not meiner Mutter mich bannte. Wir sagen manchmal, daß der Mensch zeitlebens der Anerkennung seiner Eltern nachläuft, weil er sie nicht bekam, als er sie am dringendsten brauchte. Männer laufen aber ihr Leben lang auch vor etwas davon, vor der Aufgabe, die Mutter retten zu müssen. Wäre ich vor dem Tod meiner Eltern aktiv und kreativ geworden, hätte ich gearbeitet, wie ich es erträumte, geliebt, wie ich es wollte, dann hätte ich die arme Mutter verraten und auf ihre Kosten gelebt. Ich hätte aller Welt offenbart, daß ich egoistisch bin.

Für expansive Regungen habe ich mich bestraft. Dadurch, daß ich nicht lebte, mich sehr langsam entfaltete und auf Beziehungen verzichtete. Auch dafür, daß ich meine Mutter nicht von ihrem Übel erlöste.

Eine verwöhnende Erziehung, die den Sohn über alles stellt, ihm gestattet, den nächstliegenden Lebensaufgaben auszuweichen, eine mütterlich-pathologische Erziehung züchtet den Größenwahn dieses Sohnes. Kraftlos und verwirrt glaubt er alles zu können, wenn er nur wollte.

Mit dieser unrealistischen Einschätzung habe ich mein Studium hinausgezögert. Nach erfolgreicher Beendigung des Mathematikstudiums absolvierte ich das der Betriebswirtschaftslehre. Ich durfte wieder Schüler sein, als Assistent ein gut bezahlter Schüler. Ich war stolz darauf, dafür Geld zu bekommen, daß ich mich weiterbildete. Schulbänke sind Bänke, auf denen man Schüler bleiben darf. Wie verlockend sie mir waren, zeigt, daß ich eine dritte Schule, eine zweite Universität entdeckte, die spätere Charakter- und Lehranalyse. Ich bekenne, daß ich als gebildeter Intellektueller äußerst ungenügend auf die Begegnung mit mir vorbereitet war. Als Schüler und Student war ich mit meinen Problemen nicht gut zurechtgekommen; weder den psychischen noch den sozialen Anforderungen war ich gewachsen. Besonders die Universität hatte uns total im Stich gelassen. Eine Stärke war mir im Elternhaus vermittelt worden: die Geduld, nach Auswegen zu suchen, überall und immer Antwort auf drängende Fragen zu erwarten und die Hoffnung auf Hilfe nicht aufzugeben. Meine naive Zuversicht, daß irgendwann einmal jemand dasein würde, der die brennenden Fragen beantwortet, konnte mir niemand nehmen. Der kindliche Entwurf versprach den Silberstreif am Horizont und ließ mir die Zukunft vollkommener erscheinen als Gegenwart und Vergangenheit. Angezogen von diesem geheimen Ziel wurde mein Leben ein permanentes Lösen von Schulaufgaben; von Aufgaben, die ich mir nicht selbst gestellt hatte, Aufgaben, deren Lösungen keine zufriedenstellenden Antworten enthielten. Das ist Schule.

Andere schoben mir Probleme zu, die eigentlich ihre eigenen waren. Ich hörte aufmerksam zu, machte sie zu meinen und fühlte mich wohl. Wer so hartnäckig am Schülerdasein festhält, fürchtet andere Möglichkeiten noch mehr. Vor diesen flüchtete ich mich zu den Schulbänken. Solange ich hier saß, ging es um mich und meine Leistungen, um Lernen und anschließende Prüfungen. Diesen Anpassungsleistungen fühlte ich mich gewachsen. Immerhin vergaß ich meine Mutter dabei.

Die Schmerzen des Einzelgängers unter lärmenden, prahlenden Kommilitonen, mutigen Leidensgenossen, Cliquen, Freundeskreisen und politischen Zellen, verbunden mit einer dann und wann aufblitzenden, sofort verschämt sich wieder verbergenden, in der Stille blühenden Genugtuung eines Gehemmten,

41

der unvermutet auch einmal Anerkennung bekommt, waren gelinder als die des erfolglosen familiären Nothelfers. Meine Schulbankexistenz wirkte wie eine Narkose. Sie betäubte nicht nur die Qualen der Familienwunde, sondern auch Wachstumsbeschwerden, welche die Entfaltung der Person begleiten. Darum blieb mein Wachstum zufällig, richtungslos und unkontrolliert.

Als disziplinierter Student versenkte ich mich in intellektuelle Kniffligkeiten und mathematische Spielereien. Meine Menschenscheu wurde hinter anspruchsvollen philosophischen Ideen versteckt, die nicht allzuviel mit dem Leben zu tun hatten. In den Hörsälen lief ich mit einer mittelschweren Bewußtseinstrübung und einem dunkelgrauen Zweireiher umher. Inmitten Hunderten von Bibliotheksbesuchern, die mir unbekannt blieben, obwohl ich nach manchen von ihnen Sehnsucht hatte, saß ich und grübelte über Descartes, Heidegger und Hartmann, später über Marx, Feuerbach und Freud. Ich hatte keine Denkhemmungen, aber eine Gefühlshemmung und arbeitete trübsinnig, an meine persönlichen Traumata gebunden und verträumt auf diverse obligatorische Examina hin. Sie abzulegen erschien mir erstrebenswert, obgleich ich damals schon spürte, daß sie eigenständige Denkvorgänge eher blockierten.

Auf der Universität war kein Professor je daran interessiert, wie seine Studenten sich fühlten. Die Naturwissenschaftler sind wenigstens ehrlich. Sie beschränken sich von vornherein auf die Erforschung des Seelenlosen. Geisteswissenschaftler und Philosophen tun so, als verstünden sie menschliche Fragen. Ohne tiefenpsychologische Kenntnisse bewegen sie sich wie Reiter über dem Bodensee. Sie spekulieren und erfinden eine Pseudowelt, an die sie die hilflos umhersuchenden Studenten binden und über das wirkliche Leben hinwegtäuschen. Ihre sogenannten Fragen und Denkergebnisse bleiben meist ohne Konsequenz für die Gefühle, Haltungen und Handlungen derjenigen, die mit ihnen traktiert werden. Nie bieten sie Lebenshilfe. Meine erste Universität hat in weiten Bereichen versagt. Ich fand fast nie einen interessierten Menschen mit offenen Ohren. So lernte ich mich nicht nur nicht kennen, sondern entwickelte ein falsches Bild von mir, vom Menschen, vom Mann. Das hatte gemeinschaftsfeindliche Konsequenzen.

Weil ich als Mann Wärme und Heimat brauchte, lebte ich seit dem Auszug bei meiner Mutter mit Frauen zusammen. Ihnen verdanke ich das Überleben in der universitären Wüste, auch das Durchhalten an diesem ungastlichen Ort.

Mit dem Hinweis auf meine männlichen Bedürfnisse möchte ich nicht sagen, daß meine Freundinnen keine Wärme und Heimat gebraucht hätten. Aber sie bekamen sie bei mir nicht.

Während ich studierte und dabei in charakteristischer Weise verkümmerte, fristete meine Mutter ihr verlassenes Dasein. Der Vater hatte sich endlich doch zu dem Entschluß durchgerungen, sich von uns auch räumlich zu trennen. Als ich dreiundzwanzig war, fragte er mich, wie lange mein Studium noch dauern würde. Wider besseres Wissen gab ich an, mit fünfundzwanzig fertig sein zu können. Seufzend äußerte er die Befürchtung, nicht mehr so lang durchzuhalten. Ich weiß nicht, wie er das gemeint hat. Sein Stöhnen und diese Äußerung zogen jedenfalls nach sich, daß ich nicht trauerte, als er ein Jahr später starb. Nun hatte ich eine reelle Chance, in Ruhe mein Studium abzuschließen. Sein Tod, obwohl überraschend eingetreten, war eine Erleichterung für mich. Ein Schritt auf dem Wege zum Erwachsenwerden. Vater war absolut verbarrikadiert gewesen. Hätte er mehr von sich mitgeteilt, dann hätte ich ihm ganz sicher Mitgefühl entgegengebracht.

Meine Mutter ließ mir Zeit zum Studieren. Ich jobbte nebenbei, um Geld zu verdienen, denn seit einiger Zeit bestand sie darauf, daß ich zu Hause Geld abgebe. Endlich keine Verwöhnung mehr. Ich bin ihr dafür sehr dankbar. Meine Frau Almuth arbeitete, und wir verdienten genug, um uns eine Wohnung zu nehmen. Almuth und ich beschlossen zu heiraten, und ich ging von meiner Mutter weg. Ich war 25, Almuth 23 Jahre alt. Beide waren wir Kinder, sie etwas lebenstüchtiger als ich. Drei Jahre nach der Hochzeit wurde Katja geboren.

Durch Zufall war ich in einem anderen Fachbereich an eine

Assistentenstelle gekommen, nachdem ich mein erstes Staatsexamen abgelegt hatte. Diese Stelle war nicht der einzige Grund dafür, daß ich Almuth weitgehend die Pflege von Katja überließ. Almuth besaß ein sensibles Pflicht- und Leidensbewußtsein und engagierte sich menschlich mehr. In all den zwölf Jahren unseres Zusammenlebens lernte ich sie nicht richtig kennen. Nirgends hatten wir Menschenkenner getroffen, die uns zu einer Verständigung hätten führen können. Eine Schule, auf der man lernt, Gespräche miteinander zu führen, gibt es nicht. Almuth vollzog den Anschluß an die Kinderladenbewegung und ging etwas später zur Gruppentherapie. Ich zögerte wieder einmal und mußte mitgezogen werden.

Unsere gegenseitige Fremdheit lockerte sich in diesen Gruppen nur unwesentlich. Als wir uns am Aufbau eines Kinderladenkollektivs beteiligten, Gerümpel beseitigten und einen Laden renovierten, baten wir einen Diplompsychologen aus politischen Kreisen, mit uns Erziehungs- und Partnergespräche zu führen. Nach einigen Monaten war er überfordert und zog sich zurück. Damals waren die Genossen an der Mobilisierung und Führung von Menschen interessiert. Es ging ihnen um die Organisation und nicht um den einzelnen. Deshalb hielten sie es für unnötig, Menschenkenntnis zu erwerben, oder gaben vor, dafür keine Zeit zu haben. In der Studentenbewegung fühlte ich mich nur anfangs wohl, als sie noch freiheitlich war. Ich erlebte einen persönlichen Aufschwung und lernte Menschen oberflächlich kennen. Ich besuchte Arbeitskreise für Marxismus, auch Psychoanalyse und ging zu Demonstrationen. Freud und Marx wurden abstrakt und theoretisch diskutiert, während die Frauen, auch Almuth, die Kinder versorgten und sich um die Stabilität der Beziehungen kümmerten. So wundert es mich nicht, daß die Solidarisierungserlebnisse während der politischen Initiative nicht dauerhaft waren. Ich war auf vielen Veranstaltungen, trug mein neugewonnenes Wissen sogleich in meine Lehrveranstaltungen hinein, gleichgültig in welchem Fach, und ich verlor meine von der Mutter provozierte Angst vor Menschenansammlungen. Zwei wichtige Bereiche blieben liegen, die Kindererziehung und die Liebe. Nahe praktische Probleme des Lebens mit Frau und Tochter mußten immer warten.

Währenddessen änderte sich die studentisch-politische Ideologie sehr schnell. Hatte man anfangs verbal das antiautoritäre Prinzip vertreten, das zum nichtautoritären wurde, beanspruchten ehrgeizige Genossen bald selber Autorität, um Kader zu bilden, denen vorzustehen sie sich zutrauten.

Die Autorität der Männer den Frauen gegenüber blieb ebenso unangefochten wie die der redegewandten »Obergenossen« gegenüber der sogenannten Basis. Man ging weder mit den Frauen noch mit den Kindern dem sozialistischen Anspruch gemäß um. Man konnte sich Sozialist nennen, ohne freiheitlich und human zu sein. Zu den psycho-modischen Trends der Szene gehörte die Maxime »Emanzipation durch Promiskuität«. Infantil ging man fremd und ersetzte oder ergänzte eine distanzierte Beziehung durch andere ebenso distanzierte. Die »Seitensprünge« der Genossen waren keine Kinderkrankheit der Bewegung. Bürgerliche Eltern hatten sie erfunden und uns vermacht. Diese Variante der kompensierten Liebesunfähigkeit wurde bekanntlich nie ausreichend bearbeitet und problematisiert.

Den Frauen ist die zwanghafte freie Liebe bald verdächtig gewesen. Manche machten notgedrungen mit und litten. Andere erhoben Einspruch, Almuth auch. Der männliche Widerstand gegen eine ernsthafte Arbeit an der Stümperei und Oberflächlichkeit der sogenannten Liebe benutzte abstruse Vorwürfe der Bürgerlichkeit und sexuellen Verklemmtheit. Wer noch wagte, für beständige Beziehungen einzustehen, und meinte, Liebe sei kein Gefühl, sondern allenfalls Ergebnis konsequenter Bemühung, wurde *konterrevolutionär* geschimpft.

Und so emanzipierte ich mich. Wenig später revanchierte sich Almuth, und unsere Frühehe zerbröckelte. Nicht nur ihre Fassade. Niemals kamen wir dazu, diese groteske *Emanzipation* in Ruhe aufzuarbeiten. Ich hielt noch an den linken Naivitäten fest, als die Bewegung bereits andere Wege einschlug. Die Studentenideologie war nicht menschenfreundlicher als die Familienwirklichkeit. Mich hatte sie noch mehr verunsichert. Möglichkeiten zum Aufbau neuer sozialer Bindungen boten sich an, aber ich konnte sie nicht nutzen, weil ich Menschen suchte, die stärker waren als ich. Im Winter 1969/70 war ich auf dem Nullpunkt. Es ging mir sehr schlecht, und ich gammelte herum. Nach der Trennung von Frau und Tochter konnte ich auch nicht mehr an meiner Dissertation arbeiten. Mein Chef am Lehrstuhl und meine Kollegen wußten nicht, wie es mir ging.

Immer suchte ich sexuelle Ursachen für meine Misere und nicht soziale. Ich las Freud und Reich und nicht Adler. Ich wußte noch nichts von der verwöhnenden Erziehung und von den immensen Anerkennungsbedürfnissen der Männer. Aber ich suchte weiter nach der magischen Helferin, die mich verwöhnen sollte. Als sie nicht erschien, wurde ich wütend. Mir als Mann war dieser Affekt erlaubt. Er richtete sich gegen diese Gesellschaft und ihre mächtigen Repräsentanten, aber auch gegen die autoritären Führungskader in der Bewegung der sozialistischen Systemveränderer ohne Gemeinschaftsgefühl. Als sich meine Wut gegen meine Apathie und mein Selbstmitleid zu richten begann, wurde sie produktiv. Ich fand eine Therapiegruppe, von der ich mich eine Zeitlang führen lassen wollte. Ich hatte wieder eine Zukunft und lernte mich, im Schneckentempo, tatsächlich kennen.

4. Erste Schritte auf dem Weg zur Einsicht

Als ich mit der Therapie in der Gruppe begann, nahm ich mir vor, diese Sache unbedingt zu Ende zu führen. Schon zu oft hatte ich begonnene Aktivitäten wieder fallenlassen, wenn sie nicht auf Anhieb Erfolg brachten. In der Gruppe waren mehr Frauen als Männer. Sie stiegen unmittelbarer in die Arbeit ein, weil sie einen größeren Leidensdruck oder ein deutlicheres Bewußtsein von ihrer Situation hatten. Ich persönlich erhielt bald Unterstützung, überwand den Schock der Trennung von Frau und Tochter und stellte innerhalb von acht Monaten meine Doktorarbeit fertig.

Almuths Nöte und ihre Schwierigkeiten mit mir blieben allerdings unberücksichtigt. Die sogenannte Therapie scheiterte an so mancher Liebesbeziehung. Almuth gehörte zudem zu jenen Frauen, die auf die Frauenfrage hinwiesen. Dafür hatte man in der Gruppe kein Gehör. Man bestand darauf, *Kulturarbeit* zu leisten, Menschen unabhängig von ihrem Geschlecht zu helfen. Das war an sich schon paradox. Mittlerweile aber wich die therapeuthische Intention einer hochambitionierten Bildungsarbeit, als die ersten Gruppenmitglieder ihre Examina gemacht hatten, Vorträge halten und Bücher schreiben wollten. Ich hielt an meinem Vorsatz fest, in erster Linie ein einfühlsamer und guter Helfer zu werden.

Inzwischen hatte ich Irmgard kennengelernt, eine warmherzige Frau, Kindergärtnerin und Sozialarbeiterin, genau die Richtige, um meine Partnerin zu werden. In der Gruppe wies man mich darauf hin, daß sie eine *Spur* mehr Gemeinschaftsgefühl besäße als ich und daß ich nicht immer ihre Werte sähe. Sie wandte sich tatsächlich schon intensiv den Menschen zu und stiftete Bindungen, als ich noch über die Bedeutung des Wortes

47

Beziehung nachgrübelte. Man schlug mir vor, zu Frauen Gesprächsbeziehungen aufzunehmen, was mir guttat. Aber die Literatur aus der Frauenbewegung blieb in der Gruppe verpönt. Meine Mutter vermochte einige Male zwischen mir und Irmgard zu dolmetschen, als wir Konflikte miteinander hatten. Ihre schlichte, aber liebevolle Zuwendung gab uns oft mehr als die *vernünftigen* Deutungen aus der Gruppe. Zunehmend erschienen mir die Gruppenmitglieder kälter und lebloser. Sie frönten einem vehementen Bildungsfanatismus und schwärmten über das angeblich so hohe Gruppenniveau.

Erst als wir die Gruppe verlassen hatten, begann ich Interesse für die Bücher zu entwickeln, die Irmgard empfahl. Allmählich wurde die Frauenbewegung zu meiner dritten Universität.

Im Herbst 1982 begann ich an der Lessing-Hochschule in Berlin zum Thema »Reaktionen des Mannes auf die sich befreiende Frau« Vorträge zu halten. Zunächst sprach ich über die neuen Impulse und über die Inhalte aus der Frauenliteratur, bald schon auch über meine eigenen Erfahrungen und Überzeugungen. Dabei ging ich von der Tatsache aus, daß der typische Mann dieser Gesellschaft gegen die Werte der Frau und ihre Assimilation Widerstand entwickelt, als Abwehr gegen die Wiederkehr des Verdrängten oder als Angst vor Neuem.

Nach den Vorträgen sagten mir Frauen, daß sie das, was über Männer berichtet wurde, zwar tatsächlich so erleben, sich selbst zum Teil aber ebenfalls wiederfinden. Damit werden meine Erkenntnisse über den typischen Mann nicht in Frage gestellt. Natürlich protestieren Frauen auch männlich gegen ihre Unterdrückung. Allein diese Diskussionsbeiträge besiegelten einen entscheidenden Unterschied: Die Männer unter den Zuhörern konnten oft nicht ruhig zuhören. Sie entdeckten sich zum überwiegenden Teil in meinen Ausführungen nicht und wiesen vieles, was den Frauen selbstverständlich war, entrüstet zurück. Offensichtlich konnten sie sich nicht einlassen und anvertrauen, weil eine innere Zensur sie abhielt.

Nun frage ich mich, warum ich in der feministischen Literatur so viele beeindruckende, einleuchtende und erschütternde Berichte von Frauen und ihren Schicksalen, aber so wenige einfühlbare Beiträge zur Beschreibung der Mutter-Sohn-Beziehung finde. Frauen sehen sich als Töchter, als Opfer, als Unterdrückte, nicht aber als Täterinnen, als ihre Söhne bestimmende und unterdrückende, verwöhnende Mütter. Manche äußern sich zudem abstrakt über diese Zusammenhänge, ahmen *männliche Wissenschaftler* nach, als ob es keine weibliche Wissenschaft gäbe. Sie bewundern männliche Koryphäen, denen sie offenbar beweisen wollen, daß sie ihnen in puncto Rationalität und Abstraktionsvermögen nicht nachstehen. Dadurch geht Wesentliches verloren.

Vielleicht haben viele Feministinnen keine eigenen Söhne, oder sie sind sich nicht bewußt, was sie in die Beziehungen hineintragen. Falls doch, dann haben sie vielleicht Ressentiments gegenüber ihren heranwachsenden Söhnen als den werdenden Chauvinisten und Gewalttätern. Ich müßte auf das Phänomen der selbsterfüllenden Prophezeiung aufmerksam machen und betonen, daß aufgeklärte Mütter einen wesentlichen Beitrag zur Humanisierung des Männerlebens leisten, aber auch verfehlen können.

Vielleicht waren sie aber einfach nur egoistisch genug, nun zum ersten Mal ihre Situation als Frau und nichts anderes zu untersuchen. Egoistisch genug, auf ihr Anliegen aufmerksam zu machen und ihre Situation zu verändern. Sie verlangen, daß wir Männer unsere nach wie vor ausschlaggebende Installation der patriarchalischen Misere allein aufarbeiten.

In meinen Vorträgen wollte ich die Kindheit des Mannes im Patriarchat zum Ausgangspunkt machen und die feministische Analyse durch eine persönliche und tiefenpsychologisch motivierte Sichtweise ergänzen. Dabei entdeckte ich auch weibliche Gegenspielerinnen des Feminismus, die Familistinnen, brave Frauen, Männerrechtlerinnen, die im Patriarchat ein warmes Eckchen fanden, in dem sie korrumpiert und unsolidarisch überleben und verbohrt an den wenigen ihnen verbliebenen Annehmlichkeiten des Patriarchats partizipieren.

Es hat einen Grund, warum ich meine Untersuchung auch tiefenpsychologisch orientieren möchte. Ich kenne die feministischen Interpretationen Freuds und berechtigte Vorbehalte gegenüber seinen metapsychologischen Spekulationen. Freuds chauvinistisches Frauenbild und seine Ignoranz gegenüber den Berichten mißhandelter und sexuell attackierter Frauen, die ihren Vätern, Brüdern, Onkeln, Großvätern usw. zum Opfer fielen, dürfen mich nicht daran hindern, das analytische Instrumentarium zur Erforschung und Deutung der Kindheitstraumata und des Unbewußten zu benutzen. Freud nahm die Kindheitserinnerungen seiner Patientinnen zu wenig ernst, weil er vor den entscheidenden persönlichen Konsequenzen zurückschreckte. Dadurch kam die sexuelle Gewalt der Männer erst etwa achtzig Jahre später ans Licht. Wie alle Instrumente können wir die psychoanalytischen aber zum Nachteil oder zum Vorteil der Menschen einsetzen. In meiner Arbeit mit Männern kann ich nicht auf das tiefenpsychologische Repertoire verzichten. Meine Erkenntnisse stammen in erster Linie aus dieser praktischen Arbeit. In Deutungen zwischengeschlechtlicher Vorgänge mit Hilfe von Mechanismen wie Widerstand, Übertragung, Projektion, Rationalisierung und anderen, von Anna Freud erforschten Abwehrmechanismen sehe ich unersetzbare Hilfsmittel zur Einsicht in die Struktur männlicher Unterwelten und weißer Flecken in den Zonen männlicher Selbsterkenntnis.

Auch deshalb habe ich in den ersten beiden Kapiteln von mir gesprochen. Ganz bewußt setze ich mich der Deutungsfähigkeit meiner Leser aus, damit jeder in die Lage versetzt wird, den subjektiven Faktor und die Grenzen meiner Einsicht selbst auszuloten.

Viele Frauen reagieren auf meine ersten Gehversuche als selbstkritischer Mann mit Zustimmung. Sie erzählen mir, das bisher noch nicht so gehört zu haben. Sie seien mir dankbar, daß ich so offen über mich, meine Einseitigkeiten und Gedankenlosigkeiten gegenüber Frauen gesprochen hätte, weil dadurch auch andere Männer ermutigt werden könnten, sich aus ihrem Versteck herauszuwagen.

Was soll ich den Frauen antworten, wenn sie mich um Rat fragen? Ich habe der feministischen wissenschaftlichen Forschung entscheidende Anstöße zu verdanken. Ich lernte, mit Irmgard zusammen an der Beziehung zu ihr zu arbeiten. Nun weiß ich, daß es keine Abkürzungen geben kann und keine Offenbarungserlebnisse. Es geht nur durch harte Arbeit an der eigenen Person, mit Hilfe der Frau. Hier liegen Probleme. Harte Arbeit scheuen viele. Sie suchen nach den schnellen Lösungen. Trickhaft und magisch soll es gehen, nach dem Vorbild der Kindheit, in der die Verwöhnung uns verdorben hat. Jede Suche nach einem höheren Prinzip aber, das uns hilft, indem es uns die Arbeit abnimmt, wird scheitern. Sie kann in Resignation, in Abhängigkeit und in Suchtverhalten steckenbleiben. Auch der Versuch, bei Institutionen oder Autoritäten, bei Gemeinden oder Sekten unterzuschlüpfen, die den Stein für den einzelnen wälzen sollen, ist illusionär. Auch Frauen scheuen vielfach die harte Arbeit mit dem Mann zusammen. Aber ohne die Frau wird *er* es nicht schaffen.

Ich hatte bei meinen männlichen Zuhörern ursprünglich mit einer massiven Abwehr von Betroffenheit gerechnet. Einige aber äußerten öffentlich, daß sie berührt und mitgenommen worden seien. Ich freute mich über so manche spontane Solidarisierung. Statt auf ermutigende Voten war ich eher auf Ärger gefaßt gewesen, Ärger auch auf mich, den Mann, der sich öffnet. Doch nur wenige reagierten hart. Ihre vorwurfsvollen Diskussionsbeiträge waren affektvoll, sie enthielten auch Rationalisierungen, ganz offensichtlich zum eigenen Schutz, etwa zur Abwehr von Trauer. Manche Voten erschienen mir wie Verleugnungen und Projektionen von Schuldgefühlen. Andere zeugten einfach von sträflicher Unwissenheit. Männer leben lieber mit Kreditgefühlen, wenn sie bei ihrer Mutter der kleine Prinz waren. Einer warf mir vor, ich wolle den Frauen unter die Röcke.

Alle diese Reaktionen aber enthalten therapeutische Möglichkeiten. Sie signalisieren Krisen der Hörer, die Wandlungen nicht ausschließen. Wenn der Mann kein zynischer Frauenhasser ist oder vor kurzem von einer Frau im Stich gelassen wurde, kann er kathartische Erlebnisse haben.

Ich habe eine Erfahrung gemacht, die mir große Freude bereitete. Aus dem Kreise der Hörer heraus kam eines Tages ein engagierter und interessierter Mann zu mir. Er war Lehrer und nahm an einer psychologischen Selbsterfahrungsgruppe teil, die auf ihren Trainer verzichten mußte. Er fragte mich, ob ich mit ihnen eine Männergruppe machen könne. Nach einigen Vorgesprächen haben wir diese Gruppe ins Leben gerufen.

Nun lernten wir Männer, miteinander und voneinander. Wir versuchen, uns gegenseitig zu helfen, und bemühen uns um unsere Emanzipation von patriarchalischer Indoktrinierung. Ich wurde immer zuversichtlicher, denn ich erfuhr, daß ich für Männer, meine potentiellen Rivalen in dieser Gesellschaft, wie alle befürchten, liebevolle, auch zärtliche Gefühle entwickeln kann, wenn ich sie kennenlerne. Zusammen können wir Gefühle zeigen, die wir bisher im Keim erstickt haben. Wenn ich den Männern über längere Zeit zuhöre, wenn sie den Atem haben, einige Jahre dabeizubleiben, dann merke ich, daß und wie sehr sie eigentlich alle an den Konflikten mit ihren Partnerinnen und an ihrer Gewalt gegen Frauen leiden. Ich freue mich über Annäherungen und Berührungen zwischen uns Männern genauso wie über die Fortschritte, die wir in den Beziehungen zu unseren Frauen machen, weil wir zuhören, uns zuwenden und trösten lernen. Ich entdecke mich in jedem einzelnen, und ich weine mit ihm, wenn er seine Rührung zu zeigen vermag über die Tragik, die von den Männern immer häufiger zum Ausdruck gebracht wird: unsere Gegenwart und Situation im Patriarchat, unsere Kindheit mit den vom Patriarchat angekränkelten Müttern und Vätern. Mit Freude und Erleichterung registriere ich, daß ich mit Männern sprechen und sie trösten kann. Mit ganzer Kraft arbeite ich daran, daß die in Beziehungen nicht auf Dauer vermeidbare Verbitterung und die Krisen, in die auch unsere Männergruppe hineingerät, nicht zu bleibender Entfremdung führen. Wir wollen uns gegenseitig und auch die Frauen nicht mehr ängstigen, erschrecken und ausbeuten. Wir wollen zueinander finden.

5. Die Frau als einseitige Helferin des Mannes

Beginnen wir mit einem Rätsel: Wer war dieser Mann? Er galt als starker Mann und genialer Demagoge. Er hatte verstanden, Volksmassen mit sich zu reißen und Feinde rhetorisch zu zerschmettern. Er war jahrzehntelang Befehlshaber, Volksführer und erfolgreicher Staatsmann.

Plötzlich war alles anders. Nun saß er stundenlang im Parlament und starrte apathisch vor sich hin. Nichts provozierte ihn mehr, er sprach nur noch, wenn es nicht zu umgehen war, matt und uninteressiert. Was war in seinem 69. Lebensjahr geschehen? War er nicht mehr mit seiner Herzkrankheit, seinen psychosomatischen Leiden, seiner Persönlichkeitsstruktur fertig geworden? War die bedrohliche politische Lage schuld, die gescheiterte Außenpolitik, die zerrüttete Wirtschaft?

Nein. Sein rapider Kräfteverfall war durch den Tod seiner Frau ausgelöst worden. Sie hatte ihm sein ganzes Leben lang zur Seite gestanden, war mit ihm geflüchtet, hatte auf ihn gewartet. Sie hatte ihm die Treue und sich im Hintergrund gehalten. Ist es denkbar, daß sie seine Kraftquelle war? Daß sie ihn emotional aufrecht erhielt? Hat sie fast ein Jahrzehnt lang die politischen Geschicke des Landes geleitet? Es handelt sich um Menachem Begin und seine Frau Alisa. Nicht weil ich den Vorwurf des Antisemitismus fürchte, sondern weil ich die Psyche der Männer kenne, füge ich hinzu, daß die meisten männlichen Politiker so auf ihre Frauen angewiesen sind. Das verwundert niemanden. Im Grunde halten es jeder Mann und jede Frau für selbstverständlich. Aber ist es denn unumgänglich, daß Frauen diese unentbehrliche Arbeit leisten, unentgeltlich, stillschweigend und ohne besondere Anerkennung? Es gibt mehrere Gründe dafür, daß ich mich dieser Thematik zuwende.

Ich habe einen weiblichen Beruf, der nicht nur Einsicht in die Psyche der Frau erfordert, sondern auch weibliches Reaktionsvermögen. Menschen müssen festgehalten werden, wenn sie zagen oder schwanken, unterstützt und getröstet. Ich wünsche mir und uns allen, daß der weibliche Einfluß im sozialen, kulturellen und politischen Leben zunimmt und als solcher anerkannt wird. Ich finde es schlimm, daß Frauen selbst oft nicht wissen, wie wichtig ihre Kraft für die Männer ist, ihre Arbeit, ihre Liebe und ihr Mitleid. Ihr teilnehmendes Zuhören und ihre bejahende Geduld. Im Frauenhandlexikon (München 1983) verstehen die Autorinnen unter Emanzipation unter anderem die Selbstbefreiung der Frau aus der psychischen Abhängigkeit vom Mann. Nach meiner Einschätzung ist der Mann psychisch weit abhängiger von der Frau als umgekehrt. Diese These möchte ich belegen und habe deshalb zunächst einmal meine eigenen Erfahrungen erwähnt. Es geht nicht an, daß tüchtige und starke Frauen von parasitären Männern ausgebeutet und obendrein entmündigt werden und daß die weibliche Hälfte der Menschheit weiterhin allein für die psychische Stabilität der ganzen Menschheit zuständig bleibt, während die Männer kindisch führen und kämpfen.

Nicht nur Politikerfrauen erfüllen an ihren Männern therapeutische Aufgaben. Ich habe die therapeutische Bedeutung meiner Partnerin für mich lange nicht erkannt. Erst als es mir, nicht zuletzt dank ihres Engagements, besser ging, wurde ich auf dieses gesellschaftliche Phänomen und seine Verdrängung aufmerksam. Ohne die Klagen meiner Gesprächspartnerinnen wäre es mir nicht so deutlich geworden, daß ich kein Einzelfall bin. Immer wieder erzählen mir Frauen, daß sie ihre Männer aufgefordert haben, auch einen Beitrag zur Lösung der Partnerschaftsprobleme zu leisten. Männer fühlen sich für die Bedürfnisse der Frau und für die Konflikte in der Partnerschaft nicht zuständig.

Bei den Gesprächen in meiner Praxis handelt es sich selten um eine Therapie im herkömmlichen Sinn. Meistens geht es schlicht um einen Beitrag zur Kommunikation, um ein Mindestmaß an Aufmerksamkeit füreinander. Obwohl die Männer das wissen, halten sie an der Fiktion fest, normal zu sein und keine »Therapie« zu brauchen. Selbstverständlich sind sie im statistischen Sinn »normal«. Sie gehen ihrer Arbeit nach, spielen Squash oder Volleyball, besuchen auch schon einmal eine Selbsterfahrungsgruppe. Aber Therapie, um die Frau zu unterstützen? Nie!

»Würden Sie sich bei einem richtigen Psychiater auf die Couch legen?« fragte man die ersten beiden deutschen Astronauten. »Nie«, antwortete Ernst Messerschmidt. Er ist verheiratet, und nur seine Frau darf ihn kennen, sonst niemand (in: *Stern* vom 13. Juni 1985). Intellektuelle Männer benutzen geschmeidigere Rationalisierungen: »Ich engagiere mich genug.« Im Betrieb, in der Gewerkschaft, in der Partei, in der Friedensbewegung, in der Anti-AKW-Bewegung, bei den neuen Männern. »Ich kann es nicht riskieren, bei den anderen Männern als krank verschrien zu sein, als lebensuntüchtig, als neurotisch. Dafür haben die kein Verständnis. Es geht um Leistung und um sonst gar nichts.« Einer sagte es so: »Im Grunde kommen die Probleme doch erst durch die Psychologen auf. Für Versager, Klemmis und Softies mag der Quatsch gut sein, die sind ausgeflippt. Ich tue genug für die Frau und die Kinder. Bringe das Geld nach Hause. Meine Frau soll da hingehen, wenn ich es auch nicht gerne sehe.«

Er darf nicht leiden und nicht krank sein. Jedenfalls darf er's nicht zeigen. Andere Menschen zu brauchen würde er als Mißerfolg erleben. Gespräche über Beziehungskisten wären die Kapitulation. Bei dieser Vorstellung krampft sich alles zusammen. Im geheimen denkt er, daß er der Frau überlegen ist und daß sie weniger wertvoll, weil schwächer ist.

Die Tatsachen sprechen dagegen. Wolfgang Körner, Autor des Buches »Meine Frau ist gegangen«, spricht von einem Trennungsschmerz, der ihn wie ein Schock traf. Er verfiel in Depressionen, als seine Frau ihn verließ, der Schreck war grauenhaft. Alle verlassenen Männer sprechen von harten Schicksalsschlägen, Körner hat einige interviewt. Einer wollte Selbstmord machen und vorher seinen Rivalen umbringen. Einer wurde vom Hausarzt mit Beruhigungsmitteln vollgestopft. Er weinte unentwegt. Einer fühlte sich erledigt und mutlos, und einer sprach von einem an Wahnsinn grenzenden Gemütszustand. Die Eifersucht brachte ihn fast ins Irrenhaus.

Der richtige Zusammenbruch kam immer erst nach der Trennung. Vorher hatten sie den Ernst der Situation geleugnet, bis zur letzten Minute. So etwas hören Männer nicht gern, und wenn, dann glauben sie es nicht oder vergessen es schnell. Sie meinen, so etwas könne ihnen nicht passieren, oder sie behaupten, daß es ihnen nichts ausmachen würde. Es muß erst bis zum Äußersten kommen. Von den sieben Männern, die Körner gesprochen hatte, lebte einer nach drei Jahren wieder mit der Frau zusammen, einer hatte Suizid begangen, und fünf hatten, nach ein bis zwei verzweifelten Jahren, eine neue Partnerin gefunden. Die Neue holte sie aus der Sinnlosigkeit heraus, sie besänftigte ihre Verwirrung. Auch darum spreche ich von einseitiger Hilfe: ohne tiefgreifende Besserung und ohne Entwicklungsanstöße. Solange diese Frau da ist, leben Männer gedankenlos dahin und übernehmen keine Verantwortung für sich. Wie ist ihr hartnäckiges Sträuben gegen eine Mitarbeit an der Beziehung zu verstehen? Ich habe lange darüber nachgedacht. Die Antwort lag mir so nahe, daß ich sie nicht mehr sah: Die Männer haben schon genug Hilfe. Sie haben die Hilfe, die ihnen erlaubt, nicht an sich zu arbeiten. Sie haben die Therapie und eine Therapeutin. Es ist ihre Frau. Oder ihre Freundin, ihre Mutter, ihre Schwester. Eine weibliche Person, die ihnen ihr Ohr leiht und sie stützt. Deshalb können sie es sich leisten, sich Weitergehendem zu verweigern. Selbst Prostituierte geben an, daß Männer mit ihnen über ihre Schwierigkeiten reden. Sie hören sich die Probleme und Lebensläufe der Männer geduldig an (vgl. Pieke Biermann, Wir sind Frauen wie andere auch). An Trost und Ermutigung haben Männer häufig mehr Interesse als an Sexualität. Jede Prostituierte ist therapeutisch tätig.

»Die Hauptfunktion des weiblichen Wesens« ist es, »für die Bedürfnisse des Mannes dazusein, zu seinem Trost und als sein hilfreicher Engel«, zitiert Ernest Jones Freud. Deshalb habe Freud den »sanften weiblichen Typus« bevorzugt.

Arbeit und berufliche Erfolge geben Männern nicht genügend

Identitätsgefühl. Ohne ihre Frauen würden sie psychisch noch stärker verelenden. Sie könnten nicht einmal mehr ihrer Arbeit nachgehen, ganz zu schweigen von anderen Lebensaufgaben. Die sogenannte Hausfrau, schreibt Betty Friedan in »Der Weiblichkeitswahn«, hat ein Dutzend Berufe gleichzeitig. Unter anderem ist sie einfach Menschenfreundin, Muse des Mannes, Göttin seiner Kunst und Leistung (B. Friedan, Der zweite Schritt). »Er kam mir sogar noch ins Badezimmer nach, um mir seine letzte Seite vorzulesen«, klagte die Frau eines Schriftstellers.

Jede Frau stellt sich auf den Mann ein, mit dem sie liiert ist. Sie pflegt und tröstet ihn, ermutigt und verwöhnt ihn. Aber sie besteht kaum darauf, daß er ihre Vorleistungen zurückgibt. Auch darum spreche ich von einseitiger Hilfe. Die Frau versteht ihre Gefühle für den Mann nicht so gut, wie sie ihn versteht. Diese private Therapeutin muß er mit niemandem teilen, sie ist für ihn und nur für ihn da. Er bestätigt die Frau dafür nicht und läßt eigene emotionale Energien verkümmern. Simone de Beauvoir hat schon in »Das andere Geschlecht« auf die Möglichkeiten der Frau aufmerksam gemacht. Mit ihren heilenden Händen dämpft sie die männliche Glut, belebt und richtet sie auf. Sie ist Quell des Lebens, Schöpferin und Friedensstifterin. Sanftmütig, nachgiebig und großzügig erbarmt sie sich der Menschen: »Sie hat in Schmerzen geboren, sie hat die Wunden der Männer gepflegt, sie stillt das Neugeborene und bettet die Toten zur Ruhe; sie kennt am Manne alles das, was seinen Hochmut dämpfen und seinen Willen demütigen kann... Ihre Macht über Männer liegt darin, daß sie sie liebevoll zu einem bescheidenen Bewußtsein ihrer wahren Lage zurückführt; sie besitzt das Geheimnis der Weisheit...« (ebd. 190). So bescheiden und gedämpft kommen mir die meisten Männer gar nicht vor. Frauen geben Ratschläge, die »Intuitionen« genannt werden, weil Männer ihre Ziele ohne Hilfe erreichen wollen. Darum übersehen sie gern, daß Frauen ihnen auch intellektuell ebenbürtig sind.

Der amerikanische Schriftsteller F. Scott Fitzgerald genoß die intellektuelle Unterstützung seiner Frau Zelda (vgl. C. Benard, E. Schlaffer, Der Mann auf der Straße). Sie *schrieb* ihm immer alles *vor, ins unreine,* wie er sich ausdrückte. Seine Identität ruhte auf der schriftstellerischen Tätigkeit. Darum redete er ihr ein, daß seine Arbeit der *letzte Schliff,* die *eigentlich kreative* und sie eine talentlose Stümperin sei. Einem Psychiater, den Zelda aufsuchte, als sie unglücklich und verwirrt war, hielt Fitzgerald vor, daß es seine Aufgabe sei, ihn, das dichterische Genie, zu unterstützen. Als dieser ihm statt dessen vorschlug, selbst eine Psychotherapie zu machen, wies Fitzgerald das empört zurück.

Anaïs Nin, die Henry Miller materiell und emotional stützte, erlebte ähnliches. Es machte Miller »einfach Freude«, wenn er nach Gesprächen mit ihr wieder produktiv arbeiten konnte. Sie ging inzwischen zu Otto Rank, dem Freudschüler, Miller nicht. Selbst Rank wandte sich an Anaïs Nin, die er in der Psychoanalyse ausgebildet hatte, als es ihm schlechtging: »Jetzt bin ich der Sterbende, komm, rette mich. Das Leiden der anderen steckt mich an!« Eine Rationalisierung, sein eigenes Leiden hat ihn bedrängt, und er wußte, von wem Hilfe zu erwarten war.

An diesen Beispielen sehen wir, daß die Hilfe der Frau einseitig ist. Sie rackert sich ab, der Mann ist eifersüchtig auf sie, und ihre Kräfte lassen nach, weil sie nichts als Aggression zurückbekommt. Wenn sie sich aber außerhalb der Beziehung erholen will, dann versucht er, sie einzusperren. Er bezeichnet sie als verrückt und wird gewalttätig.

In dem von Sarah Haffner herausgegebenen Buch »Gewalt in der Ehe« fand ich ein Interview der Filmregisseurin Christina Perincioli mit zwei Frauen aus einem Frauenhaus. Iris nannte die innere Gespanntheit der Männer eine Art Psychose, an der sie seit ihrer frühesten Kindheit leiden. Pat, die fürchtete, verrückt zu werden, weil ihr Mann sie so oft schlug, sagt: »Aber nachdem ich von ihm weg war, wußte ich, daß nicht ich es war, der kurz davor war, verrückt zu werden« (ebd. 110, 119). Frauen verschönern Männern nicht nur einfach das Leben, sie befriedigen nicht nur ihre zärtlichen und sinnlichen Bedürfnisse, sondern sie garantieren, daß die Männer bei Verstand bleiben. Frauen zeigen eher Schwäche und Verwundbarkeit, deshalb können sie die Männer aktiv stützen. In der Öffentlichkeit verbergen sie ihre

Stärken, wie diese ihre Schwächen, aus Angst vor deren Rivalität. Männer errichten Stärke-Fassaden, hinter denen äußerste Empfindlichkeit und Verwundbarkeit schlummern.

Es wäre ungerecht, in dieser Angelegenheit nur Frauen zu Worte kommen zu lassen. Man könnte behaupten, sie übertreiben. Barbara Franck hat in ihrem Buch »Mütter und Söhne« männliche Äußerungen veröffentlicht.

Ein 41jähriger Schauspieler: »Eine Frau, die stärker ist als ich, werde ich heiraten... Sie wird begreifen, wie das Verhältnis zwischen ihr und mir funktioniert, sie wird es auch so akzeptieren, und sie wird es weiterentwickeln wollen und eine Vorstellung davon haben, wie sie es und wohin sie es entwickelt. Sie wird eine Vorstellung von meinem Werden haben, eine Idee davon, wie ich werden soll und wo ich enden soll« (ebd. 27). Ist dieser Mann naiv, ist er ehrlich und selbstkritisch, oder fordert er *berechtigte Ansprüche* ein?

Christoph Schubert schrieb einen Brief an seine Mutter (H. Müller-Schwefe, Männersachen), in dem er einen Wunsch nach Geborgenheit ausdrückt, aus dem ihm eine »Sehnsucht nach Frauen« erwächst, die nie erfüllt wurde. Seine Kindheitserfahrungen der mütterlichen Omnipotenz wurden auf jede Frau übertragen, mit der er in näheren Kontakt kam. Ulli Dietzel, ein anderer Autor, gesteht, daß er seine Beziehungsprobleme fast immer mit Frauen beredet, weil sein Umgang mit Männern durch Konkurrenzgefühle getrübt ist. Durch diese Abhängigkeit von Frauen, den Rückhalt, die Ernährung, Liebe und Wärme, fühlt er sich aber wiederum »unterdrückt« (ebd. 135).

Wie sollte der Mann sich seine Partnerin anders als nach dem Mutter-Muster suchen? Seine Trennungsängste treiben ihn in die Arme jeder Frau, von der er meint, daß sie ihn nie im Stich läßt. Was bekommt er von ihr? Was muß er dafür in Kauf nehmen?

Der Richter Leo W. vom Amtgericht bringt Mütterlichkeit und Schmerzlinderung in Verbindung (in: Mitscherlich/Dierichs, Männer): »Meine erste und einzige Ehe schloß ich... mit einer Frau, die durch und durch mütterlich war, dabei sehr selbständig, beruflich ziemlich erfolgreich. Sie hat mich unbeschreiblich verwöhnt und umsorgt, hat mir alles abgenommen, mich aufopfernd gepflegt, wenn ich krank und depressiv war, und all meine Launen widerspruchslos, aber mit schmerzlichem Lächeln akzeptiert« (ebd. 79). In der sogenannten Hilfe liegt Einseitigkeit, durch die der Mann in seiner Schwäche festgehalten wird.

»Nun soll ich auch noch für seine Entwicklung sorgen«, sagte eine Frau im Gespräch, »die Männer wollen darauf hinaus, daß wir sie noch perfekter behandeln.« Nein, das ist nicht gemeint, aber es ist schwer zu vermitteln. Ein tendenziöses Mißverständnis liegt nahe. Der Mann hat in der Kindheit Hilfe erlebt, und nun erwartet er sie. Frauen leisten fast immer erste Hilfe, warum also nicht auch die, die den Mann weiterbringt? Der Kommunikationswissenschaftler Michael H. sagt zu Dierichs: »Wenn ich mein Leben betrachte, so haben es eigentlich Frauen bestimmt. Am meisten habe ich von jenen gelernt, mit denen ich zusammen war…, da Frauen diejenigen waren, die mir sagen konnten, wo es lang geht« (ebd. 99); und der kaufmännische Angestellte Wilhelm R.: »Meine seelische Situation ist so schwierig, daß ich jederzeit ausflippen könnte… Ich brauche eine Ordnung, ohne die bin ich glatt verloren, und dafür muß eine Frau sorgen« (ebd. 144).

Verglichen mit den Aussagen der Männer erscheinen die Kommentare der Autorinnen unberührt. Wollten sie empirisch arbeiten, journalistisch? Sie haben keine Beziehung zu diesen Männern aufgenommen, sondern sie diagnostiziert. Manchmal distanzieren sie sich direkt und machen sich lustig.

Die Männer haben ehrlich geantwortet, mit einer gewissen Portion Selbsterkenntnis. Haben sie es verdient, vorgeführt zu werden? Dierichs fand Michael H. zum Beispiel »zunächst äußerst suspekt«. Sie kritisierte seine »linken Sprüche« und daß er »die sanften Formen… vermarktet«. Wird er dafür lächerlich gemacht, daß er beginnt, sanfter zu werden? Dierichs findet Michael »nicht ganz koscher, bubihaft, clownesk«. Sie nennt ihn »Puttengesicht« und »Schalk«. »Er scheint so offen und ehrlich«, meint sie, »und ist im Grunde nie ganz zu packen.«

Warum will sie ihn packen und nicht an die Hand nehmen? Vermarktet sie eine neue Härte gegen Männer? Dierichs Ton stößt mich ab, ich glaube nicht, daß frau auf diese Weise einen humanen Beitrag zur Lösung der Geschlechterfrage leistet. Psychiatrische und journalistische Berichte dieser Art sind steril, öde und einseitig. Sie verzichten auf Dialoge, auf die Arbeit an den chauvinistischen Aussagen der Männer und auf Möglichkeiten der Änderung bestehender Vorurteile.

Darum möchte ich mich nun der Frage zuwenden, welche weiblichen Haltungen »therapeutisch« sind. Vorher muß ich darauf hinweisen, daß jede der geschilderten weiblichen Stärken einseitig, das heißt nur zugunsten des Mannes eingesetzt und ausgenutzt werden kann. Die konsequente, auf gegenseitige Hilfe eingestellte therapeutische Haltung skizziere ich im dreizehnten Kapitel.

Therapeutisch heißt *anderen dienlich*. Das Wort stammt aus dem Griechischen. Der Therapeut ist der Diener, der Begleiter, der Gefährte. Therapeuten sind Menschen, möglichst psychologisch gebildet, die anderen, partiell, in einem oder mehreren bestimmten Lebensbereichen, helfen, weil sie hier ein wenig gesünder sind. Es gibt niemanden, der ganzheitlich gesünder ist als die anderen. Helfen ist für mich: gestatten, daß man mit Menschen Umgang hat, mit ihnen sprechen kann, über längere Zeit, daß man Gedanken austauscht und Gefühle mitfühlt. Therapeutische Menschen nehmen direkt und praktisch am Leben der anderen und an dessen Bewältigung kooperativen Anteil.

»Gesünder« ist wohl, wer sein eigenes Leben, seine Liebesbeziehung, seine Arbeit und seine Kontakte etwas besser als der weniger Gesunde versteht und gestaltet, wer etwas mutiger, angstbereiter, initiativer und ruhiger ist, wer Freude am Leben hat und weniger Kräfte verbraucht. Er ist besonnener, friedlicher und tüchtiger, weil er mehreres kann, was der weniger Gesunde noch nicht kann. Im mitmenschlichen Umgang erfahre ich meist nur graduelle, selten gravierende Unterschiede seelischer Gesundheit. Idealbildungen dienen der Verketzerung Betroffener, die ausgegrenzt und diskriminiert werden.

Mein Anliegen ist nun, diejenigen Aspekte psychischer Gesundheit zu berücksichtigen, die noch nicht als gesellschaftlich normal gelten, weil sie meist bei Frauen und deutlich weniger bei Männern anzutreffen sind. Es sind weibliche Bereitschaften, die jeder Mann im nahen Kontakt mit der Frau erlebt. Ich werde versuchen, sie zu beschreiben, ohne sie zu schmälern oder zu idealisieren.

Mit dem Lächeln möchte ich beginnen. Lächelnd machen wir von der Möglichkeit Gebrauch, unsere Freude und Ermutigung zu vermitteln. Wer lächelt, dem geht es gut. Er ruht in sich. Gleichzeitig wendet er sich zu. Ich und Du greifen für einen Augenblick ineinander. Vom Feixen, Grinsen, Anmachen oder Auslachen unterscheidet sich das Lächeln durch diese Öffnung von Ichgrenzen. Männer haben allen Anlaß, lächeln zu *lernen*.

Dabei fällt mir ein, daß man mich des öfteren ansprach, was denn mit mir los sei. Ich wirke unzufrieden, verdrießlich, manchmal geradezu mürrisch. Auch andere Männer sind oft in sich gekehrt und nach außen zugesperrt. Man merkt das auch daran, daß sie nicht verbindend lächeln können. Frauen spüren das und sorgen sich. Ich konnte anfangs nicht mit den Hinweisen auf meine trennende Mimik umgehen. Ich fand das ungerecht, kritisch und rivalitär. Dabei wollte man mich einfach freundlicher. Männer sprechen mimisch und gestisch, meist um in Ruhe gelassen zu werden. Gern möchten wir den angeblich weichen Kern hinter der rauhen Schale entdeckt wissen. Wir machen uns etwas vor, den weichen Kern zum Beispiel, denn unsere finstere Hülle gibt genau die innere Gemütslage wieder. Der Mann will die Zuwendung von der Frau. Und sie deutet die Signale richtig. Sie lächelt und schafft unmittelbar Verbindung. Ihr Lächeln steckt an. Löst sich der männlich verbissene Krampf, wird die Ermutigung gegenseitig. Nicht nur in beruflichen Zusammenhängen, von der Stewardeß, der Fernsehansagerin, der Sekretärin, der Empfangsdame, der Krankenschwester, der Ärztin, der Lehrerin, der Sozialarbeiterin erwartet der Mann unbewußt ein Lächeln. Bleibt es aus, dann mag er diese Frau nicht. Ohne zu wissen warum, ist sie ihm unsympathisch. Frauen müssen diese *Dienstleistung* erbringen, unabhängig davon, wie sie sich fühlen. Auch wenn sie keinen Anlaß zum Lächeln haben, wenn es ihnen schlechtgeht, zum Heulen ist. Das will der Mann nicht merken, und so trägt die Frau oft eine geschäftsmäßige Lächelmaske vor der traurigen Grundstimmung. Unbewußt meint er, es wert zu sein, daß sie ihn anlacht.

Weil er sich nicht dafür zuständig fühlt, die Stimmung der Frau wahrzunehmen, wird er unlustig, wenn sie nicht fürsorglich ist. Ohne zu merken warum, wird er sauer. Er wußte ja vorher auch nicht, daß das Lächeln ihn gewärmt und belebt hat. Das Lächeln heißt »Ich mag dich« und hebt jede Stimmung. Auch der unglückliche oder aggressive Mann beansprucht eine fröhliche Frau, der Menschenfeind die Menschenfreundin. Er hat in der Gemeinschaft Mühe, weil er menschenscheu ist. Deshalb zieht es ihn in die Nähe lächelnder Frauen. Ausdruckslose Männergesichter stoßen ihn ab.

Aus den Sozialwissenschaften stammt die These, daß Menschen, die häufig miteinander Kontakt haben, dazu tendieren, einander zu mögen (G. C. Homans). Männer vermuten, daß es umgekehrt funktioniert. Wenn Frauen Menschen nahe kommen, erleben sie leichter die Regung wohliger Gefühle. Sie mögen diese Menschen eher, vor allem, wenn sie von sich erzählen. Dann werden sie ihnen sympathisch. Männer lassen sich von sympathischen Frauen anregen und zum Kontakt verlocken. Sie distanzieren sich aber, wenn sie keinen handgreiflichen Nutzen sehen. »Handgreiflich« sage ich, weil eine lächelnde Frau immer damit rechnen muß, vom Manne angefaßt zu werden. Er rechnet mit Streicheleinheiten wie mit Geld und nimmt versteckte Äußerungen von Sympathie nicht an. Wenn er mit sich nicht im reinen ist, reduziert er paradoxerweise seine Kontakte. Kommt ihm ein nicht lächelnder Mensch zu nahe, dann ergreift er die Flucht. Freundlichkeit verwechselt er mit Aufdringlichkeit, und betrübte Menschen sind ihm nie sympathisch.

Dem Phänomen der Sympathie möchte ich mich zuwenden, weil es sich dabei um eine dem Mann schwer faßliche Emotion handelt. Gelangen Männer in die Nähe sympathischer Frauen, dann kündigen sie mimisch und gestisch, verstimmt, forsch oder bescheiden an, was sie wollen: noch mehr Zuneigung. Sie wollen ihre sehnsüchtigen Gefühle angenommen, ihre erstickten Wünsche nach Wärme wahrgenommen und ihre Sorgen abgenommen wissen.

In Gesprächen sehen wir szenisch verkörpert, daß die Frau sich dem Mann zuneigt, während er neutral verharrt oder sich abwendet. Viele Männer sind sich selbst nicht sympathisch und unzufrieden, zum Beispiel mit ihren Leistungen und der erhaltenen Anerkennung. Andere übernehmen ihre Selbsteinschätzung. Und Frauen werden mit der Unzufriedenheit fertig. Männer entwerten unsichere Situationen der Fremdheit, anstatt ruhig abzuwarten, bis eine Öffnung zum anderen hin gebahnt ist. Zuneigung kann nicht wachsen, wenn Kontakte geringgeschätzt werden. Sympathie erwecken und empfinden kann, wer persönlich wird und Persönliches zuläßt. Frauen sind überglücklich, wenn der Mann beginnt, etwas von sich zu sagen, aber sie haben schon vorher Sympathie für ihn. Sonst bliebe er weiter stumm. Gutgestimmt sehen Frauen Entwicklungsmöglichkeiten des Mannes, und dadurch werden diese bestärkt. Wachstumskeime ohne Resonanzboden verkümmern. Die psychische Aufmerksamkeit der Frau erwächst ihr aus Geborgenheitserlebnissen. Nicht nur, um den anderen zu helfen, sondern auch, weil sie sich helfend selbst bereichert und angeregt fühlt, will die Frau wissen, was im Mann vorgeht. Außerdem hat sie nicht mehr so viel Angst vor ihm, wenn sie weiß, was er fühlt.

Aus der ganzheitlich orientierten Sympathie erwächst der Frau ein differenziertes Einfühlungsvermögen. Sich in den Mann einfühlen heißt seine Bedürfnisse fühlen, auch wenn er sie nicht wahrnimmt. Das, was wir Verführung nennen, bedeutet: hinführen zu Bedürfnissen. Sie teilt nicht nur ihre Bedürfnisse mit seinen, sie macht seine zu ihren. Auch darum ist ihr guter Wille einseitig. Frauen fühlen, was von Menschen zu erwarten ist, und teilen es ihren Männern mit. Diese überprüfen das nicht, sondern verlassen sich auf die Frauen. Darum gehen Männern auch so manche Beziehungen verloren. Ihre Feindseligkeitserwartung sucht sich Bestätigung. Auch Gefahren, in die sich Männer hineinbegeben, fühlen Frauen. Männer leben unvorsichtig, meist in einer diffusen Erwartung von Enttäuschung und Problem, selten in einer angemessenen Furcht, die ein Gefahrensignal sein könnte. Für diese blindlings Handelnden sind Frauen Seismographen. Die *Arbeitsteilung* wirkt sich auch zuungunsten des Mannes aus. Einfühlen bedeutet auch, aus der diffusen Angst des Ahnungslosen wirkliche Bedrohungen herausfühlen, fühlen, was der durch Übermut Betäubte nicht mitteilt, seine Erschütterungen zum Beispiel. Das kann nur, wer den eigenen Gefühlen nahe ist.

Ich habe lange und oft darüber nachgedacht, was Einfühlung ist. Bei mir und anderen Männern entdeckte ich zu wenig entsprechende Fähigkeiten und konnte kaum Erfahrungen mitteilen. Männer flüchten vor Gefühlen. Aber sie vermögen andere mitzureißen und sie einzustimmen. Sie werden zum Beispiel sauer, unterdrücken mühsam ihren Groll, provozieren. Aber alles geschieht wie teilnahmslos, ob sie nun kämpfen oder sich verschließen. Andere mitfühlen lassen, auf männliche Art, heißt Distanz herstellen, Mißverständnisse und Ärger erregen, Unruhe und Angst anfachen. Männer lassen Frauen für sich fühlen, gerade diese beunruhigenden Emotionen. Deshalb bringen Männer Menschen auf, erzürnen sie, fordern sie heraus. Männliche Aktivitäten werden durch Beeinflussung begleitet, durch Entmutigungen, die Streit anzetteln, unzufrieden machen, den Krieg erklären helfen.

Mit den passiven Möglichkeiten des Fühlens und der Hingabefähigkeit der Männer dagegen steht es schlecht. Sie wollen sich nicht beeinflussen lassen, weil sie bei anderen ihre eigene innere Unruhe vermuten. Weil sie sich den Gefühlen der Mitmenschen entziehen, fühlen sie sich nicht ein. Sie fürchten, in die Misere hineingeführt zu werden. Nach wenigen Schritten in die Welt des Fremden kehren sie verstört um. Der neue Bekannte birgt immer ein neues Risiko von Qual. Sich beeinflussen lassen, hieße den anderen sein lassen, ihn in sich aufnehmen. Dazu muß ich mich zuerst selbst annehmen.

Das Nicht-einfühlen-Können der Männer resultiert aus dem Schon-ausgefüllt-Sein mit Affekt, dem Gefühl *gegen* den Mitmenschen. Der Mann fühlt Mißmut, enttäuschten und entmutigten Ehrgeiz und Eifersucht. Er fühlt unterdrückte Wut, verhinderte Trauer und ungestillte Sehnsucht. Einfühlung hat nichts mit Geheimnis und Magie, dafür aber mit Gesetzen und Verboten zu tun. Dem Manne wurde frühzeitig verboten, bestimmte Gefühle zu haben, durch eine gesellschaftliche, durch die Mutter vermittelte einseitige Moral. Er darf nicht schwach, hilflos und traurig sein. Jean Baker-Miller meint, daß Frauen sich in Männer einfühlen können, weil sie ihnen hierarchisch untergeordnet sind (a.a.O. 26 f.). Weil sie sich ihnen anpassen müssen, wissen sie mehr über die Herrschenden. Hier liege die Lösung des Rätsels weiblicher Intuition: männliche Signale entziffern, um rechtzeitig dahinterliegende Gefahren zu sehen. Colette Dowling fügt hinzu, daß schon kleine Mädchen lernen, hinter die Forderungen der Erwachsenen zu kommen (Der Cinderella Komplex, 106), um »...nicht aggressiv und äußerst geschickt... zu erraten, was die Menschen, von denen sie abhängig sind, von ihnen wollen«. Das wirft neue Fragen auf.

Ist Einfühlung ein Produkt der Frauen aufgezwungenen Moral? Sind weibliche Stärken ein Bestandteil ihrer inferioren Rolle? Können stärkere Menschen sich weniger einfühlen, weil sie es nicht nötig haben? Sind Männer also stärker als Frauen? Es spricht vieles dafür, daß wir uns nicht vor allem in Gefühle, sondern in komplexe Situationen einfühlen. Und zwar nur in solche, die wir selbst erlebt haben, Unter- oder Überordnungssituationen, Größen- oder Kleinheitserlebnisse, Mut- oder Angstszenarien. Ausschlaggebend für sein Einfühlungsvermögen bleibt, welche Situationen der Mensch aufsucht und welche er meidet. In Gefühle der Männer, die sie nicht aus eigenem Erlebnis kennen, können Frauen sich nicht so gut einfühlen. In sekundäre Bedürfnisse und Gefahren vermögen sie sich einzufühlen, in künstlich erzeugte Bedürfnisse, zum Beispiel in die Süchtigkeit nach der Frau und in den Verwöhnungswunsch. Vielleicht auch noch in die Angstlust-, Thrill- und Abenteuerphantasien der Männer.

Aber kaum in die ernsthaften Zerstörungstendenzen und die tiefgreifende Suizidalität der Männer. Der weiblichen Einfühlungskapazität sind durch die Einseitigkeit der männlichen Gefühle Grenzen gesetzt. Würden Frauen die männliche Ganzheit spüren, dann würden sie ihr entschiedener entgegentreten und die nur noch im Ansatz erhaltenen Empfindungs- und Erschütterungsfähigkeiten bestätigen. Vor allem im privaten Bereich müßte jede Frau jedem Mann etwas entgegensetzen. Haben die Frauen ihr Interesse an Männern verloren? Bringen sie es nicht mehr auf, weil es so lange unbeantwortet blieb?

Bevor wir aber die Mängel in der weiblichen Zuwendung bedenken, müssen wir ihre faktische therapeutische Hilfe würdigen. Männer neigen immer eher zur Kritik als zur Bejahung. Zum seelischen Reichtum der Frau gehört ihr Interesse am Menschen. Die Freundlichkeit im Lächeln, die Bergung in der Sympathie und die Verbundenheit durch Einfühlung bedürfen eines echten Interesses am Mann. Es gehört bereits zur konsequenteren Form von Hilfe. Weibliches ist nicht einfach egoistisches Interesse. Wir spüren es schon an der Peripherie sozialen Kontakts. Daran, daß jemand nicht unterbricht, wenn der andere spricht, daran, daß er spontan Fragen stellt und dennoch besonnen abwartet, bis der andere antwortet. Meist muß man mehrmals nachfragen, weil eine relevante Antwort nicht leicht zu geben ist.

Jeder von uns kennt die uninteressierte, rhetorische Frage, die ungeduldige, unernste, die auf dem Hintergrund des Unvermögens gestellt wird, auf eine Antwort zu warten. Kaum jemand gibt seiner Enttäuschung über bloße Rhetorik Ausdruck.

Innere Beteiligung gehört dazu. Sie zeigt sich in Signalen, die die Öffnung von Menschen anzeigen. Interessierte Menschen vermitteln uns die Aussicht, ohne Druck empfinden zu können, was uns bewegt. Sie erlauben uns zu fühlen und dann erst zu überlegen, ihrer gewahr zu werden, ehe wir auf sie eingehen. Wir zeigen auch dadurch am anderen Interesse, daß wir uns darum bemühen, unsere jeweilige Befindlichkeit zu schildern. Wir nehmen andere ernst, wenn wir über Mißmut und Freude, Entsetzen und Hoffnung, Vorbehalte und Bewunderung Auskunft geben.

Der Interessierte ist nicht schamhaft, er wagt sich in die Nähe des anderen und erfährt Resonanz. Gezierte Menschen wirken weniger interessiert als schlichtere. Aufgeschlossene und ungehemmtere erwecken das Interesse der anderen. Interesse, das aktiven Einsatz kennt, überträgt sich. In uns verborgen nützt es nichts.

In »Frauensprache« erwähnt Senta Trömel-Plötz, daß Frauen in Gesprächen etwa dreimal soviel Fragen stellen wie Männer. Nicht weil sie weniger wissen, sondern weil sie interessierter sind. Sie beziehen sich häufiger auf andere Redebeiträge und fühlen sich nicht zwanghaft zur Originalität gezwungen. Interesse aktiviert; es ist ein Vermögen, eigene Anliegen vorübergehend zurückzustellen, ohne sie zu vergessen. Auf die Anliegen der anderen zurückkommen kann nur, wer sich der eigenen Bedürfnisse erinnert oder unter ihrer mangelnden Befriedigung leidet. Die Frau forscht noch interessiert, wenn der Mann die Suche nach sich selbst schon wieder aufgegeben hat. Sie schaut ihn an, akzeptiert ihn, sucht seinen Blickkontakt. Weibliches Interesse spiegelt den Menschen, weil es auf Beeinflussung weitgehend verzichtet.

In Gruppen erleben wir häufiger interessierte Frauen als Männer. Sie lächeln, finden Menschen eher sympathisch und fühlen sich in diese ein. Männer sind verschlossen und müssen zum Sprechen oft regelrecht verlockt werden. Das geschieht, indem man ihnen etwas zu-mutet, ihnen Mut macht. Frauen trauen Menschen mehr zu. Männer bevorzugen männliche Verhaltensmuster: Sie provozieren Interesse, jedenfalls, wenn sie sich vernachlässigt fühlen. Dann fordern sie andere heraus, auf die Gefahr, sie zu verletzen. Frauen provozieren nicht, ihr Interesse fließt natürlicher. Was der Mensch nicht erlebt hat, kann er nicht weitergeben. So ist es mit dem Interesse auch. Das weibliche Interesse baut den Menschen auf und stabilisiert ihn, unmittelbar, während das männliche bemüht erscheint, sachlich und rational.

Damit kommen wir zu dem weiblichen Vermögen, Trost zu spenden. Es ist dem Interesse sehr verwandt. Sigmund Freud pflegte Trost von Frauen zu erwarten, während er es für ange-bracht hielt, distanziert zu bleiben. Angeblich, weil es den Patien-ten nicht guttäte, auf ihre Liebes- oder Kampfgefühle einzugehen. Freud empfahl den Analytikern, sich als Mensch zu versagen. Trösten lag ihm zu dicht bei Verliebtheit. Auf diese Weise hat er nicht nur seine Gefühle blockiert, sondern auch die seiner Analy-sanden abgewehrt, nur verzerrt wahrgenommen. Der Mann als Autorität will nicht trösten und bleibt reserviert. In sicherer Ent-fernung versucht er Berührungen zu vermeiden. Diese sind ihm unangenehm oder zu gefährlich, Zwischentönungen bleiben ihm unzugänglich. Hinter dem Nicht-Berühren als körperlichem Ab-stand verbirgt sich ein Ungerührt-bleiben-Wollen als seelische Distanz. Der Mann analysiert – konzentriert und kühl.

Vor allem aber Männer brauchen Trost und Berührungen, ob-wohl sie vor diesen Bedürfnissen Angst haben. Es genügt nicht, sie in der Distanz verstehen zu wollen. Charakteristisch verhält sich der Mann nur in der Nähe der Frau. Viele Männer können ihre Wünsche, getröstet zu werden, nur als Geliebt-werden-Wollen wahrnehmen. In Beziehungen, in denen ihrer Meinung nach keine Liebe entstehen kann, wehren sie diese Wünsche ab. Aber sie meinen immer Frauen, wenn sie Nähewünsche spüren. Ein Schauspieler sagte dazu: »Das Bemerkenswerteste ist, daß ich immer eine ganz große, ständige Sehnsucht habe nach Ver-standenwerden, Aufgehobensein, nach wirklichem Getröstet-werden« (B. Franck, 17). Er meint Frauen und fügt hinzu, daß seine Sehnsucht nie gestillt wurde. Andere Männer gestatten sich nicht einmal diese Wünsche. Frauen können trösten, weil sie trauern können. Sie schämen sich der Trauer nicht und empfin-den sie nicht als ehrenrührig. Männer, die nicht trauern, sehnen sich. Wenn ich sie in den Arm nehme, um sie zu begrüßen oder zu trösten, spüre ich harte Muskelpakete, bedrohlich unempfind-lich. Sie sind nicht in der Stimmung, sich anzuschmiegen. Ihr Körperpanzer mobilisiert mehr Spannung, als angemessen wäre. Sie leiden unmerklich, auf sperrige Weise. Entlastung erhoffen sie sich durch die warme, anschmiegsame Frau, die sich dem Männerkörper willig anpaßt.

Einseitig ist die Sorge der Frau nicht nur, weil der Mann sich um sie nicht genauso sorgt, sondern weil sie ihn damit verwöhnt. In der Gegenwart einseitig fühlender Frauen können Männer nicht fürsorglich werden, weder für andere noch für sich selbst. Ein Bestandteil weiblichen Tröstens ist die Versöhnung, die oft wie unter Zwang erfolgt. Sie versöhnen sich mit dem Mann und auch für ihn. Sie vermitteln unter Streithähnen, unter Freunden, zwischen Partnern und zwischen Vätern und Kindern. Indem sie besänftigen, ausgleichen und Kompromisse anbahnen, diplomatisch, wie man sagt, fühlen sie für den Mann. Er reißt derweil Gräben zwischen Menschen auf. Sie fühlen, wann es an der Zeit und wie es möglich ist, Konflikte zu bereinigen.

Senta Trömel-Plötz fand, »daß Frauen mehr bitten, betteln, beten oder sich mehr entschuldigen, rechtfertigen, verteidigen oder mehr einlenken, Kompromisse anbieten, sich versöhnen« (172). Sie schildert das mit dem Unterton, Frauen mögen sich tunlichst abgewöhnen, verwirrte Männer zu beruhigen. Frauen sollen sich nicht länger ducken, indem sie ihre Aggressionen jeweils auf das für den Mann gerade noch erträgliche Maß herabschrauben.

Können Männer trösten lernen? Vielleicht beginnen wir damit, indem wir uns bewußtmachen, wie oft wir getröstet werden. Und indem wir darauf verzichten, uns gegen sanfte, nicht erotisierende Berührungen abzuschirmen.

Die Frau, die sich der Mann gesucht hat, ist immer so stark, wie er sie benötigt. Aber auch die stärkste Frau braucht einmal ihrerseits wohlwollenden Zuspruch. Dann fällt der Mann aus. Er will sich nicht einmal mehr trösten lassen, wenn er spürt, daß die Frau dafür etwas zurückhaben möchte. Weil er sich nicht zutraut, die Verantwortung für ihren Kummer zu übernehmen. Er will weiterhin die anspruchslose weibliche Zuwendung. Auch deshalb kann er nicht bewußt wahrnehmen, was er von der Frau empfängt, er »nimmt« nur, gedankenlos und undankbar, er will es nicht lernen. Er tut so, als täte sie nichts lieber, als ihn fürsorglich zu pflegen. Er wird unwillig, wenn sie etwas zurückhaben will, weil er nicht weiß, was sie damit meint, und weil er nicht fühlt, daß er etwas zurückgeben könnte. Es wird nun unumgänglich, die fundamentale Kraft der Frau zu benennen. Wir haben noch keinen Begriff dafür. Sie lächelt, findet den Mann sympathisch und bringt Interesse für ihn auf. Sie tröstet und versöhnt ihn.

Was ist das Grundlegende von all dem? Die Frau hat die Kraft zur *Anwesenheit*. Sie vermag zu bleiben, während der Mann flieht. Sie harrt bei ihm aus, wenn ihn der Mut verläßt, wenn er schmollt und nörgelt. Sie verläßt ihn nicht und bleibt gegenwärtig, gefühls-gegenwärtig. Dabei muß sie nicht einmal immer zugewandt sein, sie ist einfach real da, und dieses Dasein nimmt der Mann als selbstverständlich. Eigentlich schuldet er ihr etwas, zu Unrecht überdeckt Gedankenlosigkeit dies Schuldgefühl. Ihre Anwesenheit gibt ihm Kraft, also hat sie Energie gekostet. Darüber geht er achtlos hinweg. Weil er immer weggeht, weil er nie so lange da ist, wie frau ihn braucht, weiß er nichts von dieser Energie. Infolgedessen lebt der Mann als Verkörperung des emotionalen Mangels seiner Mitmenschen, an ihm kann frau sich nicht sättigen und wärmen. Obwohl ein zwischenmenschliches Vakuum, zieht er Frauen an. Er scheint etwas zu versprechen, was er fast niemals hält. Deshalb zieht seine Anziehungskraft die Frau ins Nichts, in die bodenlose Ungeborgenheit.

Die Frau bleibt gegenwärtig und anwesend. Wenn sie bei ihm bleibt, fühlt er sein Leben leichter werden. Er darf auch da sein und bleiben, er darf sagen, was ihn bedrückt. Und wenn er es noch nicht sagen kann, die anwesende Frau tröstet. Anwesenheit als weibliche Kraft enthält Geduld. Männer unterschätzen dies scheinbar allzu simple Phänomen, weil sie immer etwas tun und regulieren wollen. Immer meinen sie, aktiv und im Einsatz sein zu müssen, wenn schon nicht besonnen, dann wenigstens handelnd. In der Anwesenheit liegt Nähe zum Mitmenschen, mehr muß es zunächst nicht sein. Männer glauben, anders an den Menschen herangehen zu müssen. Wenn sie berühren oder streicheln, dann unzärtlich, mit dem Beigeschmack von Überwältigung. Weil Anwesenheit ihm Härte nimmt, fürchtet der Mann, aufzuweichen, wegzufließen, seine Kontur zu verlieren. Bliebe auch er, dann würde er vielleicht nie mehr weggehen können, angebunden werden. Diese Befürchtung des Mannes macht die Zwanghaftigkeit in seiner Anwesenheit verständlich, die drohende Gefahr der Unfreiheit. Selbst im Bereich der erotischen und sexuellen Berührungen ist er besitzergreifend, weil er machtvoll verhindern will, nicht eingesperrt zu werden. Wenn die Frau bei ihm ist, dann muß er sie erobern. Sonst fühlt er sich passiv und impotent. In der Anwesenheit des Mannes vermissen Frauen das Zögernde, Behutsame, das Empfangen genauso wie das freudige Sich-Verschenken.

Die Frau bleibt, wenn es jemandem schlechtgeht. Sie bleibt auch, wenn er streitet und wütend wird, wenn er Angstanfälle hat und wie zu Stein erstarrt. Sie gibt mehr als bloße körperliche Gegenwart, mehr auch als Geistesgegenwart. Sie verkörpert den Halt, den der Mensch als Mensch haben kann, den Halt am anderen Menschen, als Bollwerk gegen das Nichts. Anwesend nur können wir Konflikte durchstehen, unerfreuliche und bedrückende Stimmungen aushalten und seelisches Chaos ertragen. Ohne sie entartet das Gespräch zum Gerede. Dabei muß die Anwesenheit nicht einmal eine körperliche sein. Die Anwesenheit von Simone de Beauvoir zum Beispiel veränderte Sartres Welt: »Immer noch keine Briefe von Ihnen. Im Moment bin ich schwer beunruhigt. Wo sind Sie?... Mir ist ganz unheimlich. Ohne Sie verläßt mich aller Mut. Für Sie halte ich durch, ich spüre wohl, daß ich, wenn Sie nicht wären, nicht einmal mehr die Energie zum Schreiben hätte, alles ginge den Bach hinunter... Es ist wahr, daß ich Tage ohne Sie verbringe. Ihr kleiner täglicher Gruß ist vier Tage nicht gekommen, und die Welt ist nicht mehr dieselbe« (Briefe, 357). Sartre fühlte sich mit Beauvoir verbunden, innerlich, brieflich. Auch wenn sie weit entfernt war, war sie anwesend. Er hatte das Gefühl, mit ihr zu sprechen, wenn er etwas von ihr las oder ihr schrieb.

Vielleicht noch mehr als Sartre hat Franz Kafka von der Anwesenheit der Frau gezehrt. Seine Briefe an Felice Bauer, weniger ihre Reaktionen, waren lange Jahre sein Lebensmittelpunkt. Er zog aus der Gewißheit Kraft, daß sie sie las und ihm Aufmerksamkeit schenkte. Von eingebildeten und wirklichen Krankheiten berichtete er ihr, von Schlafstörungen, Kopfschmerzen, seiner Nervosität und Gedächtnisschwäche. Von seinen Plänen in bezug auf seine Arbeit und seinen Hoffnungen hinsichtlich der Verbindung mit ihr. Ihre einzige Hilfe war Anwesenheit, ihre kompakte Lebendigkeit und ihre gesunde Tüchtigkeit. Felice widerstand den endlosen Klagen, las Aufsätze und Essays und rang mit seiner Unentschlossenheit. Sie war ihm nahe, obwohl er ihr fern blieb.

Elias Canetti sammelte mitfühlende Bruchstücke aus den Briefen des großen Abwesenden: »Er hat gefühlt, was er brauchte: eine Sicherheit in der Ferne, eine Kraftquelle, die seine Empfindlichkeit nicht durch zu nahe Berührungen in Verwirrung brachte, eine Frau, die für ihn da war, ohne mehr von ihm zu erwarten als seine Worte... Sie sollte alles ernst nehmen, was er über sich zu sagen hatte. Er... sollte sich schriftlich vor ihr ausbreiten können... Sie war so verschieden, so tätig, so kompakt. Seine Fragen, seine Bitten, seine Ängste, seine winzigen Hoffnungen häufte er auf sie, um Briefe zu erzwingen.

Was sie ihm an Liebe zuwende, gehe ihm als Blut durch das Herz, er habe kein anderes. Ob ihr nicht auffalle, daß... er sie eigentlich anbete und irgendwie Hilfe und Segen in den unsinnigsten Dingen von ihr erwarte... Er hofft auch auf ein starkes unbeirrbares Gefühl bei ihr, das alle Schwierigkeiten beiseite fegt und es ihnen zum Trotz mit ihm aufnimmt« (Das Gewissen der Worte, 86, 100, 112).

Daß der berufstätige, auch der zu Hause arbeitende Mann, weil er sich konzentriert, für die Frau abwesend ist, verwundert uns nicht. Wenn er aber von Dingen abläßt und zur Ruhe und zu sich kommen könnte, erscheint er nicht als Beziehungspartner. Allenfalls führt er Selbstgespräche. Weil er niemanden traf, der seine Angst wahrnahm, selbst seine Mutter nicht. Er blieb allein, weil er niemanden belasten durfte. In Selbstgesprächen beschäftigt er sich mit seiner Angst vor dem Alleinbleiben. Er wirkt abwesend. Das ist ihm peinlich. Seine Anwesenheit erscheint ihm sinnlos. Ohne die Frau ist er heimatlos. Ihre Anwesenheit ist seine Heimat.

Friedrich Nietzsche hat versucht, bei Lou Andreas-Salomé Geborgenheit zu finden. Der stolze Mann wurde zurückgewiesen. Später litt er an der blindwütigen Verachtung der Frau. Zeit seines Lebens aber suchte er verzweifelt weiter. Man merkt seinem Werk an, daß diese Suche vergeblich geblieben ist. Die ausgleichende und beruhigende Anwesenheit der Frau, die Sartre hatte und die selbst Kafka in Spuren genoß, fehlte Nietzsche gänzlich. Er brach unter der Last seiner Einsamkeit zusammen und schrie einen verstiegenen Weiberhaß in die Welt hinaus. Als er sich noch im naiven Überschwang des hoffnungsvoll Verliebten befand, schrieb er an die Salomé: »Nun, meine Freundin, ist der Himmel über mir hell. Sie sandten mir Ihre Zusage (ihn zu besuchen, d. Verf.), das schönste Geschenk, das mir jetzt jemand hätte machen können. Selbstmitleid und das Gefühl des Sieges erfüllen mich ganz. Aber von jetzt ab, wo Sie mich beraten werden, werde ich gut beraten sein und brauche mich nicht zu fürchten« (Werke in drei Bänden, Bd. 3, 1182).

Nach Nietzsche warb Rainer Maria Rilke um die Salomé: »Ich kann niemanden um Rat fragen als Dich; Du allein weißt, wer ich bin. Nur Du kannst mir helfen und ich fühle schon an Deinem ersten Briefe die Macht, die Deine ruhigen Worte über mich haben. Du kannst mir aufklären, was ich nicht verstehe, Du kannst mir sagen, was ich tun soll; Du weißt, wovor ich mich hüten muß und wovor nicht... Ich weiß, daß jetzt alles besser wird, da ich zu Dir reden darf und Du mich hörst. Ich danke Dir« (Briefwechsel, 60).

Auf diese Weise wollte sich der nächste Heimatlose mit einer Anwesenden arrangieren, als Patient mit seiner Therapeutin. In unverhohlener Aufrichtigkeit ihr gegenüber, verschwiegen gegenüber der übrigen Welt. Sie mutete ihm aber auch etwas zu: »Ich denke so: daß Du's jedesmal von Dir losschreibst, wie Dir ist und was Dich quält, gewinnt vielleicht schon aus sich selbst heraus Helfekraft. Und vielleicht auch dies, daß Deine Briefe zu einem Menschen kommen, der heimisch ist in der Freude. Denn andere Kraft, Rainer, hatte auch ich nie, als die eingeboren ist aller Freude« (ebd. 62).

Mit Frauen allerdings, die diese klare Sprache sprechen, gar Gegenseitigkeit fordern, indem sie mit Mängeln konfrontieren und Hinweise darauf geben, wie die Männer ihre Heimatlosigkeit bei sich selbst ausgleichen und sich versammeln können, tun Männer sich im allgemeinen sehr schwer. Sie bevorzugen den einseitigen, sanften Typ Helferin. Sie wollen die Frau, die ihre Kindheit künstlich verlängert, weil ihre Ermunterung Schmeichelei, ihr Trost Huldigung und ihre Anerkennung Glorifizierung bedeutet.

Johann Wolfgang von Goethe war außer Sartre der einzige mir bekannte Mann, der Sprache und Zuspruch der Frau produktiv in Anspruch nahm, ohne sich durchgängig bedienen zu lassen. Er war wesentlich zufriedener als Kafka, Nietzsche oder Rilke, weil er seine Heimatlosigkeit rechtzeitig fühlte und die Nähe der Frau zu genießen vermochte. Darüber hinaus war er dankbar und brachte seine Hochachtung zum Ausdruck, ohne selbstquälerisch zu leiden. In seinem Gedicht »An Charlotte von Stein« würdigt er ihre Anwesenheit als ihre Fähigkeit, ihm ins Herz zu sehen:

»Kanntest jeden Zug in meinem Wesen,
Spähtest, wie die reinste Nerve klingt,
Konntest mich mit einem Blicke lesen,
Den so schwer ein sterblich Aug' durchdringt;
Tropftest Mäßigung dem heißen Blute,
Richtetest den wirren, irren Lauf,
Und in Deinen Engelsarmen ruhte
die zerstörte Brust sich wieder auf« (Gedichte, 207).

In »Die Leiden des jungen Werther« und in »Die Wahlverwandtschaften« hat er geschildert, wie ihm selbst zumute war, wenn er die Standfestigkeit der Frau entbehren mußte. Werther und Eduard machten Krisen durch, die ihnen große Qualen bereiteten, weil sie währenddessen ohne die Anwesenheit der Frau auskommen mußten. Für beide gab es keinen Ausweg. Werther nahm sich das Leben, Eduard zog in den Krieg und starb später an seiner Heimatlosigkeit. Ihnen vermochte Goethe in den Mund zu legen, was er zeitweilig gefühlt und durchlitten hat. Dieser Fähigkeit und den vielen Frauen, die ihm Aufmerksamkeit schenkten, verdankte er sein langes und glückliches Leben.

6. Zur Frauensucht der Männer

Können Männer untereinander Vertrauen entwickeln? Vielleicht gelegentlich, wenn sie sich nicht zu nahe kommen, im Grunde Fremde bleiben dürfen. Manchmal denke ich, daß ich einen Mann auf der Straße ansprechen sollte: »Können Sie sich vorstellen, daß ein Mann von einer Frau so abhängig wird wie vom Alkohol?« Wie würde der Mann reagieren, wenn ich ihn nach seinen persönlichen Erfahrungen mit der Sucht nach Frauen frage?

Mit Frauen kenne er sich aus, würde er sagen. Selbstverständlich brauche auch er ab und zu eine Frau, wegen des Triebes. Aber – süchtig? Nein, das sei er nicht. Das wäre doch pathologisch. So etwas gäbe es nur in Ausnahmefällen.

Wenn es um Frauen geht, können Männer nicht aufrichtig sein. Nicht nur Verdrängung spielt uns einen Streich. Eigentlich wußten wir noch nie etwas Gescheites über Frauen und über uns, im Zusammenhang mit Frauen. Frauen wissen mehr als wir von uns. Inzwischen reden wir auf eine charakteristische Weise und handeln ganz anders. Unser Verhalten weicht von unseren Vorsätzen ab. Oft frage ich Männer wirklich, dann *wissen* sie meistens schon alles. Sie sind aufgeklärt worden, nur leider falsch. Daran, daß er keine Zusammenhänge begreift und nicht die entsprechenden Konsequenzen zieht, erkennen wir, daß er das Falsche weiß. Davon redet er viel, und was er sagt, klingt durchaus nicht immer falsch. Seine Taten sind anders, geschehen unter Druck, aus der Not heraus, nicht selten wahnhaft. Der Wahn ist kurz. Es folgt ein langes Vergessen. Bereuen tut er nichts. Dazu versteht er zu wenig.

Alle Männer wissen, daß sie im sexuellen Drang auf die Frau angewiesen sind. Sie begehren fast jede Frau auf der Straße. Ansonsten brauchen sie die Frau nicht wirklich, meinen sie. Es scheint ein Kennzeichen zeitgemäßen männlichen Wünschens, die Frau vor allem sexuell zu begreifen. Männliche Sehnsucht konzentriert sich auf Begehrlichkeit, Erotik und auf den Orgasmus. Weil es von der Natur so bestimmt sei, meint der Mann ohne Peinlichkeit, ein Recht darauf zu haben. Worauf er aber ein Recht hat, das darf ihm niemand nehmen, schon gar nicht die Frau. Das verschafft er sich, notfalls mit aggressivem Nachdruck und mit Gewalt.

Es ist aber keineswegs nur der Körper der Frau und die Sexualität mit ihr, deretwegen der Mann süchtig ist. Bei den meisten Männern ist es viel mehr. Davon wissen sie kaum etwas und wollen auch nichts davon wissen. Sind Männer nicht nach Verzärtelung, nach Bewunderung, nach seelenvollen Verwöhnungen viel hungriger als nach Sex? Ist ihr Ehrgeiz nicht eine wesentlich stärkere Motivation als ihr sogenannter Sexualtrieb? Bekommen sie die entsprechenden Aufmerksamkeiten und Dienste nicht gerade auch immer in Verbindung mit Sex? Die Verwechslung läge auf der Hand. Sind sie nicht abhängig von verständnisvollen, anerkennenden Worten? Nehmen wir einmal an, das stimmt. Warum wissen es Männer nicht? Warum geben sie es nicht zu? Weil es nicht zu ihnen paßt, auf emotionale Bestätigung als Mann und Mensch angewiesener zu sein als auf Sexualität. Was der Frauenmund sagt, stimmt: Dem Manne geht es immer um das Eine. Alles andere, was er gratis dazubekommt, will er nicht wahrhaben. Jedem geht es so, ob er nun gar nicht darüber nachdenkt oder freche, ernste, kluge oder verzweifelte Gedanken dazu entwickelt. Wir dürfen die Suchtproblematik zwischen den Geschlechtern nicht bagatellisieren. Die Reduktion auf den sexuellen Bereich bedeutete eine große Verharmlosung der männlichen Unselbständigkeit. Der Mann braucht die Frau in fast jeder vorstellbaren zwischenmenschlichen Verknüpfung. Er braucht sie als Arbeitskraft. Als Hausfrau und Gehilfin sorgt sie für seine materielle Existenz, für seine Wohnung, seine Arbeitsstätte, für Nahrung und Kleidung, für Ordnung und Sauberkeit. Weit über die Hälfte aller Frauen tragen heute außerdem spürbar finanziell zur Aufrechterhaltung des Lebensstandards des Mannes bei. Zu diesem Zweck tragen sie die Doppelbelastung der modernen Partnerschaft, nicht um ihrer Selbstverwirklichung willen. Der Mann braucht die Frau als Mutter und Betreuerin seiner Kinder. Stillschweigend soll sie erziehen, die anderen leiten, wärmen und lehren. Auf Grund ihrer heilsamen Fähigkeiten, auf die hinzuweisen der moderne Mann nicht mehr verzichtet, soll sie mit allen Beteiligten sprechen, dolmetschen und zuhören. Sie soll die Entmutigten aufrichten und die Initiative der Beschädigten stimulieren. All das tut sie auch. Und sie mildert die Härten, die Gefühl- und Gedankenlosigkeit der Väter und Söhne.

Vergessen dürfen wir die Sexualität jedoch nicht. Der Mann braucht das erotische und ästhetische Stimulans der Frau. Sie soll schön sein, angenehm und zart. Sie soll Jugend, Frische und Reinheit darstellen. Obendrein soll sie Lust und verführerischen Reiz bieten. *Sündhaftigkeit* wird ebenfalls verlangt, je nachdem, wie dem Gelangweilten und Unbefriedigten gerade zumute ist. In seelischer Not, wenn er unzufrieden ist, sich überfordert, sich unwohl fühlt und kränkelt, muß sie einspringen. Er mag murren und verdrießlich sein, brummig und verstockt, aber er erwartet, daß sie mit ihm geduldig und nett umgeht. Dann läßt er sich dazu herab, etwas zu sagen, indem er sich darüber beklagt, wie eklig die Menschen mit ihm umgehen. Wenn sie nicht behutsam genug ist, ihm seine Situation nicht schnell erträglicher macht und ihm Wege aus Sackgassen heraus zeigt, dann schweigt er wieder. Wenn sie keinen Holzklotz neben sich will, muß sie hellseherisch wissen, was er jeweils braucht, und ihn gegen die ganze Welt in Schutz nehmen. Entscheidungen darf sie ihm abnehmen, wenn dies so milde geschieht, daß es ihm nicht auffällt. Soziale Kontakte darf sie immer stiften, weil er die Isolierung der Bindung vorzieht, weil es ihm schwerfällt, um Menschen zu werben, er aber nicht auf diese verzichten kann.

Umgekehrt gilt nichts davon. Der Mann leistet seiner Partnerin diese Dienste nicht. Er stellt sich stur. Sie muß sich Geborgenheit, Identität und Produktivität selbst schaffen, neben allen Bemühungen um ihn, im Grunde gegen ihn, gegen alle Belastungen durch ihn. Dazu hat sie oft nicht mehr die Kraft. Nach allem Einsatz ist sie geschwächt. In diesem Zustand braucht er sie besonders. Zum täglichen Vergleich mit sich selbst. Und der muß zu seinen Gunsten ausfallen. Er soll ihm die Illusion erlauben, er habe sich alles aus eigener Kraft erobert. Ohne diese Selbsttäuschung kann er nicht leben. Anstatt ihm die Augen zu öffnen, muß sie ihm versichern, daß er für sie wichtiger ist als sie für ihn. Er konzentriert sich stets nur auf die eigene Person und braucht nicht nur die Fiktion von Überlegenheit, sondern ihre ständige Versicherung, er habe keinen Anlaß, an seiner Kraft zu zweifeln.

Die Sucht nach der Frau hat die Männer im Griff, bevor sie beginnen könnten, sich gegen diese Unterstellung zu wehren oder darüber zu philosophieren. Sie hat den Menschen Mann als ganzen erfaßt. Immer will er alles von der Frau. Es ist paradox: Er flüchtet vor dem Streß und der Gewalt der patriarchalen Welt, die er selber herstellt. Seine Gefühle und Haltungen sind sein Produkt, das sich nun gegen ihn wendet. Er flüchtet in die Geborgenheit bei der Frau vor den schwierigen Lebensaufgaben und Anstrengungen. Dazu benutzt jeder seine spezielle Droge: Alkohol, Fernseher, Tabletten, Hobbys, Männerbünde, Prestige usw., auch Autorität, Geld, Macht und Ehre scheinen unentbehrlich. Aber die Frau ist jedermanns Droge. Sie wird in allen Fällen zusätzlich, besser gesagt, schon vorher, konsumiert.

Der Mann verlangt nach Liebe, die er handhaben kann. Deshalb fordert er die Frau, die sich ihm, seinem Wahrnehmungsvermögen gemäß, ganz zur Verfügung stellt, die sexuelle Frau. Im Zusammenhang mit der modernen »sexuellen Revolution« – diese Rationalisierung verdanken wir Wilhelm Reich, der freudianischer als Freud sein wollte – nimmt er alle anderen Dienste weiterhin in Anspruch. Er hat über die Frau gesiegt. Seine orale Frauen-Nehmer-Fixierung wird ihm nicht zum Problem. Er leugnet sie, und wenn er sie ahnt, leugnet er, daß sie überwunden werden kann. Wenn eine Frau das merkt und ihre gebende Funktion verweigert, dann kommt die nächste. Es mag ein Weilchen dauern. Durch den Suchtcharakter des männlichen Verlangens ist auch die nächste austauschbar. Die Menschenwürde der Frau muß permanent verletzt werden, weil es dem Mann nicht um die unverwechselbare lebendige Person geht und nicht um ihre faktischen Bedürfnisse.

Was nun die Stärke der Abhängigkeit anbetrifft, so unterscheidet sich die Frauensucht des Mannes graduell von anderen Süchten. Sie macht ihn noch hemmungsloser, läßt ihn noch unachtsamer werden, weil er sich dabei total im Recht fühlt. Die Frau wird wie ein Stück Natur empfunden. Die Frauensucht macht darum verzweifelter und gewalttätiger als andere Süchte. Hier haben wir die Ursucht, das Modell aller Süchte und die schlimmste aller Abhängigkeiten. Sie bleibt am verborgensten, weil sie am nächsten liegt. Ich habe sie erlebt, aber meine Erkenntnis ist nicht stabil. Ursprünglich meinte ich, unabhängig zu sein und sein zu müssen. Ich wollte niemanden brauchen, mir nichts sagen und mich nicht führen lassen. Nicht im Traum hätte ich daran gedacht. Auf die Frau glaubte ich mich nicht verlassen zu können. Insgeheim dachte ich dabei noch, daß ich stärker bin als andere Männer.

Seit ich meine Abhängigkeit und die Notwendigkeit der Bindung an eine Frau wahrnehme, komme ich mir zeitweise sehr kraftlos und brüchig vor. Ich fühle mich nicht mehr stärker als andere, sondern ganz normal verletzlich und unvollkommen. Ich verstehe die Männer, die Wende-Männer, die sich die alten Zeiten vor den feministischen Analysen zurückwünschen, weil sie den Frauen die Nervenprobe keimender Selbsterkenntnis anlasten. Männer schwanken extrem in ihrer Selbsteinschätzung, und sie schämen sich dafür, mehr vor anderen Männern als vor Frauen. Meine Menschenkenntnis und mein Gefühl sagen mir, daß ich mit der Last meiner Frauensucht nicht allein bleiben kann. Bisher war es immer so, daß ich mich in anderen und sie sich in mir spiegeln konnten. Wenn meine Drogenhypothese stimmt, dann bin ich auch mit ihr ganz normal, ein ganz gewöhnlicher Typ, dessen Charakterschwäche nicht aus dem männlichen Rahmen fällt.

Es ist nicht übertrieben, wenn ich sage, daß ich die Frau auch brauche, um in dieser verrückten Welt einigermaßen bei Verstand zu bleiben. Eine einmal so begonnene Selbsterkenntnis müßte Konsequenzen haben. Sonst bliebe sie ein Strom larmoyanter Selbstbespiegelung. Wir benötigen eine feministisch erweiterte Menschenkenntnis, eine neue Sicht des Mannes. Diese muß zu veränderten Handlungen, zu weicheren Gefühlen und zu bescheideneren Haltungen führen.

In der patriarchalischen Gesellschaft leben und fühlen Frauen und Männer gänzlich anders. Jede Psychologie müßte doppelt geschaffen werden, jedes psychische Phänomen wartet auf seine männliche und seine weibliche Deutungsversion: das Menschenbild, die Arbeit, die Sexualität, die Sehnsucht, die Liebe, die Einbettung in die Gemeinschaft, die Eifersucht, die Sprache und die psychische Stabilität.

Wenn wir als Mann süchtig nach der Frau sind, dann benutzen wir sie bedenkenlos für die Befriedigung unserer Sucht. *Frau* ist für uns dann *Quelle von allem, was wir brauchen* (Frauenbild), und der Mann ist der *Mensch, der einen Anspruch auf die Frau* hat (Männerbild). Mann und Frau heißen Nehmer und Gebende, Eigentümer und Eigentum. Da wir sie ausbeuten, können wir sie nicht als Menschen behandeln. Sie produziert sich, wir konsumieren sie. Sie lebt in unserer Nähe, und wir nehmen sie, uns sehnend, nur aus der Ferne wahr. Sie liebt, und wir lassen lieben. Soweit das verschiedene Menschenbild. In der Männerwelt ist die Frau kein Wesen mit Bewußtsein und einer personalen Identität. Im Patriarchat hat sie kein Recht auf ein vom Manne unbeschädigtes Leben, sie wird wie ein Ding betrachtet, wie ein Stück Natur. Süchtig danach sein heißt achtlos, gierig und vergeßlich sein. Von Freude und Dankbarkeit für das Geschenk der Anwesenheit spüren wir in unserem Teil des Universums wenig, von Solidarität gar nichts. Die Frau wird benutzt als Bollwerk gegen Einsamkeit, Sinnlosigkeit und Zerstörungsimpulse. Frauen ist dies bekannt. Sie kennen ihre Welt, und sie spüren ihr Leiden um sie. Wir Männer leben in einer anderen Welt.

Aber die Frau ist auch ein Mensch. Das klingt einfach und vernünftig. Das ist es aber nicht. Können Männer in Frauen Menschen sehen? Können sie ihnen auch das Geschenk der Aufmerksamkeit machen? Vielleicht sind es die ungleich ausgebildeten Emotionen, die Frauen entdecken lassen, daß alle anderen Menschen, auch Männer, ein Bewußtsein haben. Männer erleben sich als Absolute. Mehrere Absolute sind schlecht miteinander vereinbar, nicht gleichberechtigt. Infolgedessen reagieren sie radikal, sie kämpfen, um zu siegen, um sich andere zu unterwerfen, im öffentlichen wie im privaten Bereich. Ich denke, daß ich dem Phänomen meines Lebens anders gegenüberstünde, wenn ich fühlte, wie eine Frau fühlt. Diese Gesellschaft hat Männer auf Frauensucht konditioniert. Es muß Dealer geben, die Männer von der angemessenen *Nahrung,* von gegenseitig orientierten, gleichberechtigten zwischenmenschlichen Beziehungen wegführen, um sie langsam an die Droge Frau zu gewöhnen. Wer sind diese Dealer?

In der Bewegung der neuen Männer glaubt man die Antwort zu haben: Die Mutter war's. Sie hat die Macht über unsere Kindheit, sie hat uns gebrochen, sie ist schuld. Ich zweifle daran und meine, daß es auf diese Frage keine einfache Antwort gibt. Simplifizierende Modelle für komplizierte gesellschaftliche Systeme hemmen unser Verständnis. Wir können weder eine einzelne Frau verantwortlich machen noch die Gemeinschaft der Frauen. Es gibt keine Partei der Mütter, keine Gewerkschaft und keine Lobby. Außerdem kann die *Droge* nicht schuld daran sein, daß der Süchtige nicht mehr von ihr loskommt. Wir müssen das Dealer-Syndikat finden, diejenigen menschlichen Institutionen, die die Droge vermitteln und an ihr verdienen.

Damit keine Mißverständnisse aufkommen: Ohne Einfluß ist die Frau nicht. Sie ist ja nicht wirklich Droge, der Mann erlebt sie nur als solche. Sie muß sich davor hüten, ihm zu gehorchen und sich vermarkten zu lassen. Die Mütter können wir nicht zur Rechenschaft ziehen. Wen aber sonst? Wer kassiert den Gewinn bei diesem harten Drogengeschäft? Wir Männer geben bisher Pseudo-Antworten, sofern wir überhaupt die Frage stellen. Wir sind Partei und deshalb abgestumpft. Es gibt nur wenige, die die Verantwortung für ihre Sucht übernehmen. Ich weiß von mir, daß ich mich von der Freiheit für mich zurückziehen, die vermeintliche Schmach verbergen wollte. Ich dachte, daß ich der einzige oder nur einer von wenigen Frauenabhängigen bin. Lange schwieg ich über diese Schande und zog mich ins Versteck zurück, in dieses Schlupfloch, das mit Illusionen von Überlegenheit und Unsterblichkeit gepolstert ist. Ich habe das Glück, mit einer Frau zusammenzuleben, die sich nicht abwendet, wenn ich Angst habe und wenn ich als Mensch versage. Auch wenn ich mein Angewiesensein auf sie anspreche, erschrickt sie nicht. Schon oft habe ich erlebt, daß sie meine Entdeckungen bereitwilliger annahm, als ich es mir vorgestellt hatte. Es stellte sich heraus, daß ich sie früher meist unterschätzt hatte. Sie war bei mir geblieben, als andere gegangen wären. Meine Offenheit, auch wenn sie unbequem war, nahm sie als Ernsthaftigkeit. Fast alle meine Gedanken hatte sie schon vorher gewälzt und bei mir vermuten können. Die Frau spürt vieles, worüber der Mann schweigt, und sie leidet darunter, indem sie krank wird.

Meine Partnerin sieht mich lieber unsicher und fragend als neutral und unbeteiligt. Sie erwartet auch nicht, daß ich mich aus Verunsicherung in immer neue männliche Aktivitäten stürze. Sie hat mich nie ausgelacht oder mißbilligt, wenn ich unmännlich war, wenn ich selbstkritisch oder *soft* war. Ich sehe den Unterschied zwischen einem autoritären und einem freiheitlichen Feminismus sehr deutlich. Darum lege ich Männern nahe, sich ebenfalls zu öffnen und ihrerseits zu gehen, wenn ihre Partnerinnen ihre Ängste und Zweifel nicht annehmen.

Es hat Männer gegeben, die sich mit mir identifizieren wollten. Aber mit welchem Teil von mir? Mit der Fassade? Nicht alle nehmen meine Arbeit an mir wahr. Sie achten noch zu angestrengt auf ihre eigenen Schritte. Wir befinden uns nicht an der gleichen Stelle der Wanderung und können uns nicht ständig an die Hand nehmen.

Manche Männer beziehen wenig auf sich, was ich von mir berichte, manche nehmen mich ernst, auch wenn sie nicht alles nachvollziehen. Andere meinen, daß ich übertreibe, um zu provozieren. Sie finden meine Aussagen über Frauensucht einseitig, weil sie selbst einseitig sind. Ab und zu sagt mir einer, daß ich männerkritisch-pessimistisch rede. All das mag angehen, aber es macht mir zu schaffen, wenn Männer, die sich ernsthaft bemühen und sensibel reagieren, sich von mir angegriffen fühlen. Mein Dilemma besteht darin, daß Männer mich stark wollen. Weil sie sich anlehnen möchten. Als Mann habe ich es nicht nur mit mir selbst schwer, die Umwelt verlangt den männlichen Mann, gebieterisch. Sie duldet keine Metamorphose. Viele Menschen bestehen darauf, daß der vermeintlich Starke stark, die Autoritätsperson Autorität bleibt und kräftig auftritt. Besonders der Mann, der helfen soll, obwohl er sich selbst nicht immer helfen kann, macht diese Erfahrungen.

Auf wessen Ressourcen greift er zurück? Was tun Männer, um die Grenzen zwischen den Geschlechtern zu überschreiten? Können sie sich gegenseitig stützen, oder bleiben sie auf die Führung der Frauen angewiesen?

In der Männergruppe, mit der ich seit einiger Zeit arbeite, stellen wir diese Fragen nicht konsequent genug. Es geht uns um uns, aber eben nur um einen Teil von uns. Man beschwert sich über zu hohe Anforderungen der Partnerin und klagt über Ängste Männern gegenüber. Man will wissen, wie man die Frau zurückerobern kann, aber nicht, warum sie gegangen ist. Es geht den Männern um ihre Kraft, um Souveränität in der Arbeitssituation, um Prüfungen und um die Fähigkeit zur Leistung. Also bleibt zunächst nichts anderes übrig, als daß wir darangehen, Arbeitsfähigkeit und Kontakte herzustellen. Dazu bauen wir Verlegenheit und Schüchternheit, zum Beispiel beim Sprechen, ab. Wir mühen uns um die vielbeschworene Sensibilität unter Männern und streben in der Männergruppe Konfliktbereinigungen an. Dabei vergessen wir leicht, weswegen wir eigentlich zusammengekommen sind. Dann nehmen wir uns übel, aber nicht ernst. Jeder will seine Tüchtigkeit und seine Führungsqualitäten unter Beweis stellen. Im unvermeidlichen Krisenfall sind die persönlichen Lücken für eine Weile vergessen. In der Erleichterung darüber finden wir uns einvernehmlich. Dafür unterstützen wir einander bei Problemen mit Frauen und Trennungen. Die Aufarbeitung und Auflösung der Traumata aus früheren Beziehungen und die Rückendeckung bei der Partnerinnensuche spielen eine wichtige Rolle. Deshalb sprechen wir über Treue und Untreue, Freiheit, Ungebundenheit und Toleranz. Dabei und bei der Erörterung der verschiedensten Fragen zur Gestaltung der Liebesbeziehungen sind wir uns nicht immer einig.

Es gibt mehr oder weniger erfreuliche Phasen in der Gruppe. Die Sympathie für die Geschlechtsgenossen nimmt zu, obwohl wir uns Gegenüber werden. Wir fordern und rütteln uns gegenseitig wach. Dann und wann fällt mir auf, daß wir noch nicht auf den Kern aller Schwierigkeiten stoßen. Es strengt an, unablässig prekäre Fragen zu stellen. Jeder will auf seine Weise an seiner Situation arbeiten, und so ist das konsequenzenlose Gerede nicht immer zu vermeiden. Es muß gesagt werden: Trotz vieler Erfolge tun wir Männer uns untereinander schwer. Trotz vieler schöner Erlebnisse vermissen wir die anhaltende Freude an der Gemeinschaft. Männer suchen Nähe im Streit und in der Auseinandersetzung untereinander. Sehr selten wird über die Erlebnisse und Gefühle der Partnerin gesprochen. Wie sie das alles sieht und erlebt, weiß der Mann nicht. Die Frau weiß es umgekehrt immer. Fürsorge ist kein Thema für ihn, dabei bleibt es vorläufig. Er kann es sich nicht vorstellen, einmal nur für die Frau dazusein, auf sie zu achten und sie zu stützen. Immer schlagen seine Bedürfnisse durch und geben den Ausschlag. Bei der Frau ist das anders. Verbindlichkeit in Beziehungen und Bindungen bleiben dem Mann unerschlossen.

Bin ich den Männern gegenüber ungerecht? Ich rechne damit, einem verborgenen Männer- und Selbstressentiment zum Opfer zu fallen. Immerhin bemühe ich mich um Versöhnung, wenn ein Mann sich von mir verletzt fühlt. Den maßvollen Mittelweg des Umgangs, zwischen Zärtlichkeit und Konfrontation, vermag ich nicht immer zu beschreiten. Vielleicht entwickle ich deshalb diese unbestimmte Furcht, nicht nur von Männern, sondern auch von Frauen abgetan zu werden. Ich ahne den Vorwurf, mich bei Frauen anbiedern zu wollen.

Unsicherheit aber schadet nicht. Im allgemeinen haben wir zu wenig Minderwertigkeitsgefühle. Es geht um die Menschheit und ihr Überleben. Wir fliehen vor der Einsicht in die Unabdingbarkeit der Beendigung unserer Existenz, vermittels allerlei kleiner Fluchten. Vor allem aber durch unsere große, bedeutende Flucht, die in der Nähe der Frau endet. Bei ihr gestatten wir uns zu regredieren. Deshalb achten wir andererseits darauf, uns nicht zu weit von ihr zu entfernen. Sie bleibt in Rufweite, zuständig, die unmittelbare Nähe ist uns zu verpflichtend. Entfernt sie sich zu weit, dann schlafen wir schlecht, arbeiten nicht mehr gut und fühlen uns gedrückt. An diesen Entzugserscheinungen erkennen wir die Frauensucht, an Irritationen und Resignation. Margarete Mitscherlich formuliert hypothetisch: »Genauso ließe sich eine Gesellschaft denken, in der durch frühzeitige Förderung der Sexualität eine Art ›Süchtigkeit‹ ihr gegenüber entstünde. Seit langem sei die Erziehung des Mädchens weit mehr im Sinne sexueller Abstinenz erfolgt und habe deswegen de facto zu geringeren sexuellen Bedürfnissen geführt« (Emma, Sonderband 3, 182 f.). Die größere sexuelle Bedürftigkeit des Mannes aber ist nur die Folge seiner größeren, ebenfalls anerzogenen Tendenz zur Abhängigkeit von der Frau. Er will Sexualität, weil er gelernt hat, damit in die Nähe der Frau zu gelangen. Ist er dort, dann weiß er mit der Frau nichts anderes anzufangen, als sie zu manipulieren.

Ich komme nun auf die Frage nach den Dealern zurück. Was verbindet die Dealer mit den Konsumenten? Margrit Brückner schreibt in »Die Liebe der Frauen«, daß Frauenmißhandlung in der Ehe nicht nur ein privates Ereignis, der Ehevertrag vielmehr eine Konstruktion zwischen drei Parteien ist, der Frau, dem Mann und dem Staat (ebd. 22).

Für die Frauensucht der Männer gilt das gleiche. Der Staat legitimiert nicht nur die Diskriminierung der Frau, er leistet auch der Frauensucht der Männer Vorschub. Weil er bewußtlose Männer braucht, deren Arbeitskraft und Todesbereitschaft er ausbeutet. Zu diesem Zweck nimmt er die Ignoranz und Hilflosigkeit süchtiger Männer ebenso in Kauf wie die Ausweg- und Hilflosigkeit mißhandelter Frauen. Der Mann muß wenigstens insoweit intakt bleiben, als er es als Arbeiter und Soldat sein muß. Dazu genügt die Droge Frau und die hin und wieder angewandte einseitige Therapie durch sie. Staatliche und andere Institutionen wollen die Frau als Männerdroge und Männermedizin, weil sie keine selbständigen, sondern süchtige Männer brauchen, die einigermaßen still und brav bleiben, solange man ihnen die Droge nicht entzieht.

Darum ist es in diesem komplizierten sozialen Netz mit all seinen familien-, ehe- und suchtfördernden Maßnahmen so schwierig, die Dealer als Personen zu erkennen. Trotz der vorzeitigen Erkenntnisergüsse mancher forscher Männer meine ich, daß Väter dafür in höherem Maße verantwortlich sind als Mütter. Sie sind selbst süchtig, sollen das nicht merken und gönnen ihren Söhnen nicht die Befreiung. »Mein Sohn soll es einmal besser haben als ich«, sagt der Vater, aber er kümmert sich nicht um seinen Sohn. Er sieht ungerührt und hilflos zu, wie dieser sich an seine Mutter klammert und den Vater vergißt. Hinter diesem Verhalten verbirgt sich eine durch Unzufriedenheit gespeiste Feindseligkeit gegenüber dem Sohn. Durch sein Vorbild macht der Vater seinem Sohn die Gegenwart der Frau schmackhaft. Später, wenn sie ihm ebenfalls unentbehrlich geworden ist, entwertet auch der Sohn die Mutter. Er benutzt sie so, wie der Vater sie benutzt. Deshalb hält er das für natürlich. Es funktioniert, weil die Mutter sich nicht wehrt, sondern ihren Sohn im Gegenteil auffordert, es dem Vater in allem gleich zu tun. Mit allem, was er nun von der Mutter bekommt, verinnerlicht er, was die Mutter erduldet: die Mißhandlungen durch den Vater. Er schlägt und vergewaltigt die Frau, weil er spürt, daß er nicht von ihr loskommt. Soll der Sohn empfindsam und erschütterungsfähig, so weiblich werden, daß er die Frau nicht mehr so dringend braucht, dann müssen Väter dasein, männliche Vorbilder, die keine Frauenkonsumenten und keine Frauendealer sind, Männer, die mit den Frauen gleichberechtigt und gleichverpflichtet kooperieren, im Beruf und im Haus, im pflegerischen Gefühlsaustausch und im Denkprozeß. Dazu bedarf es der Mütter, weiblicher Vorbilder für Töchter und Söhne, die sich nicht nur

dem Vergewaltiger und Ausbeuter, sondern auch dem Frauensüchtigen verweigern.

Ein Vater, der durch die selbstbewußte, konsequente Frau an
den Entzug der Droge gewöhnt wurde, könnte wieder Vorbild
seines Sohnes werden. Der andere dürfte es nicht länger sein.

7. Gewöhnung an die Mutter, Entzug und Gewalt

Die These von der Frauensucht des Mannes muß überprüft werden. Die patriarchalische Gesellschaft hat eine absurde Organisationsstruktur. Im Erziehungsprogramm werden männliche Bedürfnisse geschaffen, die weder in der Kindheit noch später in ausreichendem Maße befriedigt werden. Alle Beteiligten, Kinder, Frauen und Männer, nehmen Schaden. Die Tatbestände des suchterzeugenden sozialen Komplexes möchte ich an einigen Kriterien belegen.

Die Gesellschaft bestimmt, welche Drogen ihre Mitglieder wählen können. Sie legt zudem fest, wie der Mensch an die Droge gewöhnt wird. Das Patriarchat hat die Frau zur Droge des Mannes auserkoren. Rituelle familiäre Traditionen leiten den Prozeß der Gewöhnung an sie schon in der frühesten Kindheit ein. Die Wirkung der Droge ist anregend oder dämpfend, und ihr »Genuß« kann für den Betreffenden so bedeutsam werden, daß er meint, nicht mehr ohne die durch die Droge stimulierten Gefühle und Körpersensationen leben zu können. Sie muß dauernd oder in wiederkehrenden Abständen konsumiert werden, wobei die Abhängigkeit des Konsumenten (Mann) von der Droge (Frau) der des Knaben von seiner Mutter entspricht. Sie ist in jedem Fall die erste Droge des Mannes. Nach längerem Konsum ist die Abhängigkeit von ihr so gravierend, daß ihre Absetzung zu Entzugserscheinungen, psychischen und physischen Krankheitssymptomen führt. Ein erneuter Genuß der Droge beseitigt diese schnell, aber nicht nachhaltig. Da bei konstanter Drogendosis deren Wirkung allmählich nachläßt, fühlt sich der Konsument zur Dosissteigerung, also dazu veranlaßt, immer größere Dosen zu nehmen, um wiederum die bisherige Wirkung

90

zu erzielen. Der Gebrauch gesellschaftlich nicht ausdrücklich empfohlener Drogen wird bestraft. Ist es dem Konsumenten unmöglich, sich die Droge auf legalem Wege zu verschaffen, dann wendet er Gewalt an, die manchmal zur Kriminalität führt.

Beginnen wir die Untersuchung mit der Gewöhnung des Knaben an seine Mutter. Nicht nur in der frühesten, auch noch in der frühen Kindheit ist die Mutter für Kinder beiderlei Geschlechts die wichtigste Bezugsperson, weil sie die Kleinkindversorgung allein übernimmt. Dieses gesellschaftliche Arrangement legt eine psychische Abhängigkeit des Kindes von seiner Mutter nahe, die um so schwerer und nachhaltiger wirkt, je entschiedener sich der Vater von dessen Betreuung entfernt. Das Menschenjunge ist bei seiner Geburt weit unreifer als die Abkömmlinge verwandter Säugetiere. Anfänglich instinktlos klammert es sich an die Mutter, von der es alles Lebensnotwendige erst lernen muß. Weil der Vater sich für die Unterweisung des Kindes nicht zuständig fühlt, wird es von seiner Mutter belehrt. Es bleibt lebenslang in spezifischer Weise auf sie angewiesen.

Nach Dorothy Dinnerstein gibt es allerdings keinen ernsthaften, nicht einmal einen biologischen Grund, weshalb nicht auch Männer Säuglinge betreuen sollten. Jedem Menschen dieser Gesellschaft wird durch das gegenteilige Arrangement der früheste, den Erkenntnissen der Tiefenpsychologie zufolge prägende, charakterbildende Kontakt zur Menschheit und zur Welt von einer Frau vermittelt. Eine Frau, so Dinnerstein in »Das Arrangement der Geschlechter«, ist jedes Kindes erste Liebe, erste Zeugin und erste Vorgesetzte. Sie ist der Mittelpunkt seiner sozialen Welt, seiner Körperlichkeit, seiner Lust und seines Behagens. Die Frau ist der erste Mensch, der ihm Anerkennung gibt. Auf der anderen Seite verkörpert sie den ersten Willen, der das Kind überwältigt und unterwirft (ebd. 46). Die Mutter muß ihren Sohn an sich anpassen, sie hat gar keine andere Wahl. An Berührungen gewöhnt sie ihn, an Wärme und Zärtlichkeit, ihre sanfte und freundliche Stimme, ihr ruhiges Lächeln und ihren Trost. Durch sie wird er von Hunger- und Einsamkeitsgefühlen befreit. Sie nimmt ihm Angst, indem sie ihn tausende Male streichelt und anspricht. Sie antwortet auf seine mimischen und gestischen Signale, hilft ihm, wiegt und schaukelt ihn. Sie kommt, wenn er sich langweilt (ebd. 52)

Die Mutter könnte also Heimat für den Sohn sein. Partiell war sie es wohl. Wir werden klären müssen, warum sie ihm letztlich keine wurde. Vielleicht allein schon deswegen, weil Männer nicht als von der Mutter abhängige Wesen geboren, sondern dazu gemacht werden. Sie haben sich niemals frei für die einseitige Abhängigkeit von einem Geschlecht entschieden. Sie haben es nicht gewählt, von der Mutter allein aufgezogen zu werden. Das fatale Arrangement, die Zuständigkeit der Mutter für die Söhne und des Vaters Zurückhaltung, bewirkte, daß wir es mit stetig wachsender Freude erlebten, immer wieder nur von ihr besorgt und angesprochen zu werden. Weil sie mit den Söhnen allein gelassen wird, verwandelt sich ihre Sorge in Verwöhnung. Es gibt Hinweise darauf, daß Mütter ihre Söhne verführen, erotisch anziehen, an sich binden. Allerdings äußerst selten so brutal, wie Männer jungen Mädchen begegnen, indem sie sie sexuell ausbeuten und attackieren.

Barbara Sichtermann bezeichnet das Stillen des Kleinkindes als einen der wichtigsten Akte der Fixierung des Sohnes an seine Mutter. Sie rechnet es zu den lustvollen, lustsuchenden Formen weiblicher Sexualität. Auch das neugeborene Kind, so meint sie, sucht den Liebespartner. Mit seinem zum Saugen geöffneten Mund und wildklopfendem Herzen. So manche Mutter wisse, »daß das Kind, wenn es erst auf der Welt sei, für den ›Rausch‹ offen sein würde« (B. Sichtermann, Weiblichkeit, 61). Die Autorin läßt uns wissen, daß aus ihrer fraulichen Verantwortung gegenüber dem Kind mitunter die herzklopfende Erwartung eines Rendezvous wurde. Eigentlich kein Wunder, daß Söhne nach der Mutter süchtig sind. Als Betroffene hat sie bewerkstelligt, daß die Söhne sie, wie sie die Söhne, begehrten. Erst tastend, dann triebhaft, schließlich wie besessen verlangen Männer nach der Frau.

Ein Wiederholungszwang wurde geschaffen. Erwachsene Männer empfinden wie Kinder, sie sind nicht mehr frei, sondern einseitig an die Frau gebunden. Aus der Lust und Geborgenheit, aus dem Wohlwollen und der Verläßlichkeit wurde eine Abhängigkeit. Die vom Liebespartner im Stich gelassene Mutter gibt ihre Gebundenheit an den Sohn weiter.

Den nur sporadisch auftauchenden Vater braucht der Sohn, nach einer erstaunlich kurzen Muttergewöhnungsperiode, scheinbar nicht mehr. Erst weist er ihn zurück, dann fürchtet er ihn. Wer nicht ständig bei dem Säugling ist, wirkt auf ihn kalt und fremd. Da sich aus der Mutterschaft als Gebärfähigkeit nicht zwangsläufig die Verpflichtung zur sozialen Aufzucht der Nachkommen ergibt, so Simone de Beauvoir, sollten Männer diese zu gleichen Teilen übernehmen. Barbara Sichtermann meint zuversichtlich, daß auch der Vater zum Liebesakt mit dem Kind taugt. Die zu engen Bande zwischen Mutter und Sohn könnten gelockert werden, weil selbst die Erotik der Brüste und das Stillen kein weibliches Monopol bleiben müßten.

Ein sich nicht seiner Frau und seinen Kindern verweigernder Vater, so füge ich hinzu, könnte seinem Sohn ebenfalls Heimat werden. Die Mutter allein kann die elementaren Bedürfnisse des Sohnes nicht erfüllen, weil sie über die Abwesenheit des Vaters traurig sein muß. Ihr Sohn nimmt mit der Lust diese Trauer auf. Später neigt er dazu, in jeder Lust und Sicherheit auch die Depression zu erfühlen. Die Gewöhnung der Söhne an ihre Mutter ist zwar an sich auch schon immer mit gravierenden Versagungen verbunden, Verwöhnung und Versagung ergänzen einander, aber die Abwesenheit des Vaters ist die fundamentale Versagung, wie die Besorgung durch die Mutter die fundamentale Verwöhnung ist. Die einsame, entkräftete und unzufriedene Mutter bietet sich ihrem Sohn als Droge an, weil sie ihn braucht. Und so lernt der Sohn seine Mutter als Droge zu benutzen. Einerseits lebt die Mutter als seine Heimat, Gesundheit und Geborgenheit gewährend, andererseits als sein Gefängnis. Als solches liefert sie ihn der Entfremdung aus, der hingerissenen Drogeneuphorie und der depressiven Angewiesenheit. Erwachsene Männer suchen beide: Heimatgefühl und trügerische Ersatzbefriedigungen. Sie tasten noch nach der echteren Welt, in der sie wachsen könnten, greifen aber meist in die irritierende Zone, die nur vorgaukelt, Wünsche zu erfüllen. Einen Teil der Heimat hat der Mann aufgenommen, Elemente des gesünderen Anteiles von seiner Mutter Liebesfähigkeit, sonst hätte er seine Kindheit nicht überlebt oder wäre seelisch verkümmert. Ihre wertvolle therapeutische Kraft aber kann er nicht zur Gänze nutzbar machen, weil ihn die Sehnsucht nach der Droge zur Wiederholung der Ersatzbefriedigung zwingt. Solche Sehnsucht macht Unglück, verwandelt jede nahestehende Frau in eine Reliquie und Droge.

Die *Erlösung* des Mannes durch die Frau bleibt so lange ambivalent, wie er durch gesellschaftliche Festlegungen gezwungen ist, sie doppelgesichtig kennenzulernen: als Potenz und als Substanz, als Glück verheißend, aber Auszehrung bewirkend. Inzwischen scheint es mir an der Zeit, einen entscheidenden Einwand gegen diese These vorzubringen. Wieso ist nur der Knabe, nicht das Mädchen frauensüchtig? All das, so kann man argumentieren, erfährt das Mädchen doch ebenso.

Nach Dorothy Dinnerstein gibt es gravierende Unterschiede. Das Mädchen wird zur zukünftigen Mutter erzogen. Es lebt, seit Beginn seiner Existenz, in einem weiblichen Körper und ist darum stets schon potentielle Quelle von Nahrung, Pflege und Sicherheit. Die Lebensquelle liegt in ihm. Im Laufe seiner Entwicklung wird vom Mädchen außerdem eine umfassende Verschiebung seiner erotischen und emotionalen Bedürfnisse gefordert. Von der Mutter auf den Vater zu, von der Frau zum Mann. Jedes Mädchen muß die Entwöhnung von der Mutter auf sich nehmen, wenn es sich den Mann, zunächst in Gestalt seines Vaters, erobern möchte. Jede werdende Frau steht Akte eines Entzugs durch. Solche Verzichtleistungen sind schwierige, kraftraubende Prozesse, deren Bewältigung schließlich neue Kräfte frei macht. Der Verwöhnung des Knaben steht diese Entwöhnung des Mädchens gegenüber. Denn der Knabe lernt nicht, sich in dieser folgenschweren Weise von einem Menschen ab-, dem anderen zuzuwenden. Während er die Mutter zunächst genauso braucht wie das Mädchen, machen zwei Umstände einen entscheidenden Unterschied. Erstens liegt der Lebensquell außerhalb seines Körpers, bei der Frau, und zweitens macht er nie einen dem Mutterentzug des Mädchens vergleichbaren Entwöhnungsprozeß durch. Zeitlebens bleibt er auf den weiblichen Körper bezogen und auf weibliche seelische Kräfte angewiesen. Um die Qualen des Entzugs zu vermeiden, hält er an dieser Fusion fest. Er lernt nie, einen Menschen, von dem er viel bekommt, wirklich loszulassen. So lernt er auch nicht, wie die Frau, wenigstens partiell, eigenständig zu existieren. Einseitige Gewöhnung an die Frau als fundamentale männliche Verwöhnung ist Ursprung und Modell für alle späteren, nun selbstbestimmten Inszenierungen dieses Geschehens. Während die Mutter dem Sohn auf die geschilderte ambivalente Art, der Tochter nicht, erhalten bleibt, distanziert sich der Vater vom Sohn mehr als von der Tochter. Er bleibt die schwächer konturierte Person für ihn, ist ihm erst unsicher, später nicht mehr bewußt lebensnotwendig. Mit zunehmendem Alter erscheint dem Sohn die Hinwendung zum Mann überflüssiger, er fällt dem schädlichen Irrtum anheim, die Verbundenheit mit Männern geringzuschätzen. Als Entschädigung für die Entfremdung vom Mann begehrt er den Besitz der Frau, den uneingeschränkten Zugang zum »seelenlosen« weiblichen Körper, um seine Säuglingserfahrung wieder zu erleben. In ungewissen Abständen, nicht durchgängig, fühlt er jäh einen Mangel an Befriedigung durch eigene Kraft und Geduld. Dann vermag er nicht anders zu reagieren als mit einem beinahe wilden Verlangen nach der Frau. Gebieterisch verlangt das Leben unlebendigen Ersatz für authentische Lebendigkeit. Es scheint fast, als wolle der Mann auf hilflose Weise verhindern, tiefere Gefühle wahrnehmen zu müssen. Darum benutzt er die Frau und bestraft sie anschließend mit unbewußtem Haß. Er projiziert seinen Abscheu auf sie. Wenn er sie abwertet, muß er seine Angewiesenheit auf sie nicht anerkennen. Frauensucht und Frauenfeindlichkeit sind durch die Perversion der Selbstachtung des Mannes untrennbar verbunden.

Sigmund Freud deutete männliche Motive durchweg sexuell. Angeblich im Ödipuskomplex befangen, begehrt der Sohn die Mutter sexuell und fürchtet die Rache seines Vaters. Diese unkritische Theoriebildung leistet einer antifeministischen Reduktion der männlichen Abhängigkeit Vorschub. In dem 1983 erschienenen Buch »Hingabe« begehren Männer, Psychologen, Mediziner und Journalisten, zornig auf, weil sie »sich nicht länger den Forderungen der Frauenbewegung nach einem neuen Mann stellen wollen«. Es geht ihnen wieder einmal fast ausschließlich um ihren Orgasmus. Deshalb verlieren sie kein Wort über die Frauensucht und die Gewalt der Männer gegenüber der Frau. Kampfeslustig führen sie mit Feministinnen Scheingefechte. Denen ist der männliche Orgasmus mittlerweile gleichgültig. Aber die Männer vergessen die Mehrheit der Frauen, die unter der männlichen Unselbständigkeit noch leiden. Der Psychoanalytiker Rollo May war einsichtiger. In seinem bereits 1970 erschienenen Buch »Der verdrängte Eros« bezeichnet er Sex als Droge, die Männern am leichtesten verfügbare. Noch nicht direkt in der Frau als Person, aber in ihrem Körper und dem Sex erkannte er ein männliches Mittel gegen die Angst.

In den Erziehungsauffassungen der psychoanalytisch inspirierten Pädagogik fehlt die Formulierung der Aufgabe für den heranwachsenden Mann, sich mit der Mutter zu identifizieren und mit ihr zu kooperieren. Freud hatte gemeint, durch eine geglückte Identifikation mit seines Vaters Arbeits- und Liebesfähigkeit würde der Mann gesund. Mit der letzteren hapert es aber gerade. Alfred Adler kritisierte Freuds Pansexualismus und wies auf den Faktor Verwöhnung hin, forderte aber auch, daß die Mutter die Erziehungsarbeit leistet. Sie sei die erste und wichtigste Beziehungsperson im Leben jedes Menschen.

Wie aber soll, so müssen wir die Tiefenpsychologen fragen, die Verwöhnung des Knaben vermieden werden, wenn die Mutter das erste Erziehungswerk allein leistet? Wieso entbindet man den Vater von der Mitarbeit beim Umgang mit dem Kind? Der ehemals auch verwöhnte Vater, der gegenwärtig die Dienstleistungen der Mutter seiner Kinder ausbeutet, entzieht sich den Kindern. Weil die Tiefenpsychologie eine männliche Domäne ist, versagt sie an dieser Stelle. Mithin enthalten auch die Forderungen der Adlerschen Individualpsychologie frauenfeindliche Tendenzen und die Norm einer Abhängigkeit des Mannes von der Frau.

Josef Rattner zum Beispiel beklagt, daß die Frau in der patriarchalischen Gesellschaft unterdrückt und entwertet wird, aber er zieht keine frauenfreundlichen Konsequenzen. Wenn die Mutter nämlich unglücklich, kleinmütig oder unzufrieden ist, so empfiehlt er, soll sie tiefenpsychologisch geschult werden. Die Mutter allein, nicht auch der Mann: eine bedeutsame Fehlleistung! Sie soll noch eine weitere Aufgabe auf sich nehmen. Nur als seelisch Gesunde, so Rattner, könne sie glückliche Kinder hervorbringen. Das erfordere das »biologische Erbe des Gemeinschaftsgefühls« (J. Rattner, A. Adler in Selbstzeugnissen). Hier wurde unberücksichtigt gelassen, daß die tiefenpsychologisch geschulte Frau dem nicht entsprechend geschulten Mann Therapeutin ist und ihre Kraft in ihn hineinsteckt. Nach einer mehr oder minder langen Zeit, so die Tiefenpsychologie, in der ausschließlich die Mutter Beziehungsperson war, soll sie dafür Sorge tragen, daß das Kind seinen Vater einbezieht. Eine verständnislose Überforderung der Mutter und eine billige Ausrede für den sich entfernenden Vater!

In gewissem Sinn ist die Tiefenpsychologie für die nach der Mutter süchtig machende Verwöhnung mitverantwortlich. Aber auch Feministinnen übersehen bisweilen, was sie ihren Söhnen antun. Leona Siebenschön zum Beispiel will, ganz im Sinne der tiefenpsychologischen Absichten, ihre Söhne allein erziehen. Sie schildert die herkömmliche Erziehung zum ganzen Mann und zum gewöhnlichen Gewalttäter. Sie weiß, daß diese Männer kein Leben mehr in sich spüren, weil sie keine Erschütterungsfähigkeit aufbringen. Stehen nicht aber auch die Söhne einer alleinerziehenden Mutter lebenslang in deren Bann? Weil sie ebenfalls nicht fertig werden mit der »erworbenen Abhängigkeit in Super-Mamas Klammergriff, der süchtig (macht) nach pflicht- und leistungsloser Gegenwart gleich dem Urzustand im Mutterschoß« (Siebenschön, Der Mama-Mann, 22). Eine Mutter, die ohne Mann lebt, sich quasi bedürfnislos für ihre Söhne aufopfert, *muß* diese auch mißbrauchen. Schon allein deshalb, weil sie sie mit der Last ihrer ungelebten Möglichkeiten befrachtet. Damit meine ich nicht unbedingt das fragwürdige Leben mit einem Mann. Ihre Söhne sind ebenfalls in Gefahr, nicht wie Mutter sein zu dürfen und sie retten zu müssen. Siebenschön will ihre Söhne aus jeglicher Enge, Begrenzung und Behinderung herausführen, ohne Zwang und Angst – »soweit ich als einzelne das gewährleisten kann« (ebd. 18). Erziehung ohne Zwang und Angst ist unmöglich, dieses Ziel bedeutet Verwöhnung. Aber »gerade diese überoptimale Verwöhnung, unmäßig und unbegrenzt, hätte das Kind gebraucht« (ebd. 71). Mir wird unbehaglich, wenn ich mir diese symbiotische Allianz vorstelle: »Wichtig für das Kind ist eines vor allem: mit einem Menschen unbedingt gegen alle und alles verbündet zu sein« (ebd. 59). Ich kenne solche heillosen Komplotte zur Genüge aus den Berichten zahlloser frauensüchtiger, unselbständiger Männer, es sind Gefängnisse für Lebensunfähige.

Andere Feministinnen vertreten einsichtige Erziehungskonzepte, zum Beispiel Luise Eichenbaum und Susie Orbach, die in »Ganz Frau und wirklich frei« beschreiben, daß Jungen zwar lernen, sich auf Frauen zu verlassen, auf die Mutter und die Ehefrau, daß man männliche Abhängigkeitsbedürfnisse aber gerade deshalb kaum registriert, weil sie kontinuierlich befriedigt werden. Frauen und Männer verschleiern die männliche Abhängigkeit (ebd. 12). Männer haben Angst davor, Abhängigkeitsgefühle zu zeigen, sie verbarrikadieren sich gegen eine entsprechende Auseinandersetzung (ebd. 14). Der Mann sei ein verletzbares Wesen, das lebenslang auf Frauen bauen müsse. Stets müsse eine »Sie« existieren, die für den Mann da sei und sich überwiegend mit seinem Wohlbefinden befasse. Und zwar deshalb, weil der kleine Junge sein Leben in völliger Abhängigkeit von der Mutter beginne, die ihn oft als einzige versorge (ebd. 14). Alle seine späteren Aufsichtspersonen, Autoritäten und Trostspender seien ebenfalls weiblichen Geschlechts: »Seine Bedürfnisse nach Emotionalität werden wahrgenommen, ohne daß er sie sonderlich ausdrücken muß« (ebd. 15). Die Autorinnen plädieren dafür, daß Männer von Anfang an in den Prozeß der Kindererziehung einbezogen werden (ebd. 19), damit sie lernen, Gefühle auszudrücken, zu geben und Frauen emotional zu versorgen.

Von männlichen Abhängigkeitsbedürfnissen weiß auch Margrit Brückner. In »Die Liebe der Frauen« weist sie auf die scheinbar paradoxe Tatsache hin, daß Männer gewalttätig wie auch verletzlich und hilflos sind (ebd. 60). Auch gewalttätige Männer wollen die ganze Fürsorge und Zuwendung der Frau.

Und sie wenden Gewalt an, weil sie meinen, zu wenig zu bekommen. Weil sie nicht allein sein können, wollen sie die Frau, die immer da ist: »Sie wollen ihre Rechte… ausüben und sie fühlen sich abhängig« (ebd. 60)

Barbara Franck wollte wissen, was Söhne bewegt. Ich zitiere nochmals aus ihrem bereits erwähnten Buch.

Paul D., 41, Schauspieler: »Das Bemerkenswerte ist, daß ich immer eine ganz große, ständige Sehnsucht habe nach Verstandenwerden, Aufgehobensein, nach wirklichem Getröstetwerden, nach Lieben, nach Erotik, nach Sexualität. Das ist ganz stark… Diese Sehnsucht war immer da, …sie war nie ganz erfüllt… diese ganz große Liebe, diese Innigkeit und körperliche Nähe, die ich als Kind und Baby nach meiner Mutter hatte« (ebd. 17 f.).

Jan F., 27, Student: »Ich bin das einzige Kind… Es besteht… eine unglaubliche Abhängigkeit von meinen Eltern… meine Mutter im Laufe der Zeit… den bestimmenden Part in der Familie übernommen hat… Mein Vater ist der Schwächere von beiden… von zehn Leuten, die ich kenne, sind neun Frauen. Mit Männern kann ich nichts anfangen… die interessieren mich nicht… Mutter sorgt sich dauernd um mich« (ebd. 31–40 passim).

Georg Z., 51, Architekt: »…meine Eltern nicht harmonisierten… Meine Mutter hat versucht, meine Unterstützung oder zunächst mal mein Verständnis zu gewinnen. Sie fühlte sich zurückversetzt, schlecht behandelt und hat das auch nicht vor mir verborgen, sondern sprach im Gegenteil mit mir darüber. Und alle diese Gespräche spielten witzigerweise im Bett… Ich war das, was man gemeinhin ein verhätscheltes Einzelkind nennt… Meine Mutter hat bestimmt auch versucht, die Zuneigung, die ihr vom Vater fehlte, von mir zu bekommen… Meine Mutter war für mich in diesen Jahren, so jenseits von zwölf, eindeutig ein Lustobjekt. Mutter war das Lustobjekt schlechthin« (ebd. 79–80 passim).

In seinem Nachwort zu diesen Bekenntnissen schließt der Psychologe Michael Lukas Moeller auf einen unerhörten Einfluß der Mutter, die ihre Söhne abhängig gemacht haben müsse: »Die Mutter bindet die Söhne an sich, weil sie selbst nicht in der Lage ist, sich von ihnen zu lösen« (ebd. 218). Einseitigkeit wird leicht zur Frauenfeindlichkeit. Generationen von Müttern nahmen gehorsam das Erziehungswerk auf sich, weil Psychologen ihnen dazu rieten. Das Verhalten der Väter haben sie beschönigt. In den Lebenserinnerungen der Söhne entdecken wir stets das gleiche Muster: Die Mutter spielte die zentrale Rolle, weil der Vater als Bezugsperson mehr oder weniger ausfiel. Ohne seine Unterstützung mußte sie für den Sohn sorgen und sich etwas von ihm holen, was der Vater ihr vorenthielt. Der Sohn bezahlte mit der Ausschließlichkeit der Bindung an sie.

Nun ist es an der Zeit, zum Entzug und zur Dosissteigerung Stellung zu nehmen. Beginnen wir mit der Feststellung, daß ein potentiell heilsamer, *therapeutischer* Kontakt des Mannes mit der Frau *übertrieben* wird. Er fühlt sich plötzlich unwohl, allein oder im Kreise anderer Menschen, und muß unbedingt sofort zu ihr. Ganz ähnlich geht es Menschen mit Tabletten, Alkohol oder härteren Drogen. Ohne große Not riskieren sie höhere Dosen und merken nicht, wie aus der Lust Gewöhnung, aus dieser eine Last wird. Unzufriedenheit und parasitäre Tendenzen des Mannes, Wehrlosigkeit und naive Männergläubigkeit der Frau arrangieren das Ritual der Überhöhung der Dosis. Die Wirkung gerät außer Kontrolle und die Genesungschance zur Sucht. Manchmal quengelt sie mit ihm, aber sie entzieht sich nicht. Höchstens noch dadurch, daß sie sich in einen anderen verliebt. Wahrscheinlich ist sie zu bequem oder hat sonst einen psychischen Gewinn dabei.

Hauptsächlich in jenen Phasen seines Lebens, in denen er seine Aufgaben nicht mehr oder nur noch mühsam, wie unter Schmerzen, bewältigt, sehnt der Mann sich nach paradiesischen Zuständen zurück. Er hat sich dazu entschlossen, zu beschönigen. Fürsorge oder Geborgenheit nennt er sein Bedürfnis, mitunter auch Verliebtheit oder Abenteuer. Selten erkennt er den Zwangscharakter des Geschehens. Er wünscht sich in kindlichere, rezeptive Phasen seiner Kindheit zurück. Wir erkennen die Bedürfnisse nach Regression. Sein Rückschritt in die Vergangenheit funktioniert durch eine gesteigerte Beanspruchung der Frau. Was aber geschieht, wenn sie sich nicht zur Verfügung hält? Sollte die Drogenhypothese stimmen, dann müßten wir Entzugserscheinungen beobachten. Geschiedene Männer haben eine dreimal so hohe jährliche Sterberate wie geschiedene Frauen. Witwer sterben innerhalb der ersten sechs Monate nach dem Tode ihrer Frauen um 40 Prozent häufiger, als altersstatistisch zu erwarten ist, meist an Erkrankungen der Herzkranzgefäße, an gebrochenem Herzen, wie der Volksmund richtig sagt. Junggesellen weisen eine drei- bis viermal höhere Suizidrate auf als unverheiratete Frauen. Männer, die kürzlich ihre Mutter verloren, neigen häufiger zum Suizid als andere. Geschiedene Männer heiraten nach der Scheidung schneller als geschiedene Frauen (alle Angaben: Herb Goldberg, Der verunsicherte Mann, 18 f.). Goldberg sieht Fakten, aber er interpretiert sie frauenfeindlich. Er schließt nämlich, daß der Mann unbewußt fürchtet, ohne die Frau nicht leben zu können. Wir wissen, daß er ohne sie nicht leben kann. Goldberg, auf den sich viele neue Männer berufen, bestärkt den Mann in seinen aggressiven und chauvinistischen Haltungen gegenüber der Frau.

Die Frauen, die ihren Partner angeblich *plötzlich und unerwartet* verlassen und ihn dabei *wie aus heiterem Himmel* treffen, haben vorher jahrelang vergeblich versucht, ihn zum Zuhören zu bewegen. Jetzt allerdings konfrontieren sie ihn mit einem jähen, gefährlichen Entzug. Zu den Krankheitserscheinungen gehören depressive Phasen, Suizidanwandlungen, Schreckensphantasien und psychosomatische Gebrechen aller Art, regelmäßig aber auch Gewaltanwendung gegenüber der *treulosen* Frau.

In Kapitel 5 habe ich Wolfgang Körner erwähnt, der die verlassenen Männer interviewte. Seine eigene Frau hatte ihn ebenfalls verlassen, völlig unvorbereitet, wie er meint. Obwohl beide »in ständigem Dialog lebten« (ebd. 9) und sich »meistens einig waren« (ebd. 53). Drei Wochen nach ihrem Fortgang lösten Depressionen kurzfristig empfundene euphorische Befreiungserlebnisse ab (ebd. 12). Der 52jährige Otto »weiß nicht, warum seine Frau gegangen ist« (ebd. 34), obwohl er zugibt, regelmäßig getrunken, seine Frau geprügelt und vergewaltigt zu haben. Der 51jährige Rolf bekam in der Klinik Ersatz für die Droge Frau: die Droge Beruhigungsmittel. Körner fügt hinzu, daß er seine Frau weder geschlagen noch vergewaltigt habe. Er habe sie nur seine Traurigkeit spüren lassen, sich in seine Arbeit zurückgezogen und auffallendes Interesse für andere Frauen entwickelt. Können wir dieses Interesse als Versuch zur Dosissteigerung interpretieren? Körner jedenfalls hatte subtiler, dafür nicht weniger belastend auf die Droge Carmen reagiert. Er fragte sich hinterher, warum es Männern so schwer fällt, den Aufbruch der Frau als unabänderlich anzunehmen, und vermutet, daß es mit der Mutter zu tun hat: »Liegt es daran, daß auf jede Trennung von der Mutter, die wir als Kind voll Angst vor dem Verlassenwerden durchlitten, das Happy-End ihrer Rückkehr erfolgte?« (ebd. 32). Auch das ist noch nicht die Erkenntnis der Suchtursache: Verwöhnung – Mutter und Versagung – Vater.

Ein Kapitel des Buches »Häutungen« von Verena Stefan trägt den Titel »Entzugserscheinungen«. Sie machte sich auf die Suche nach einem menschlichen Mann und mußte entdecken, daß, wann immer sie einen kennenlernte, Schwerarbeit auf sie wartete. Jeder wollte ihre Heilkraft, Samuel auch. Als sie sich wieder von ihm abwandte, zeigte er Entzugserscheinungen. Er blieb einsam, weil er niemanden außer ihr hatte. Selbst nach der Trennung noch lehnte er es ab, auch nur eine gedruckte Zeile von einer Feministin zu lesen, aus Zeitmangel, wie er angab. Wann werden Männer anfangen, fragt Stefan, mit anderen Männern über ihr Leben zu sprechen? Werden sie es wagen, andere Männer zu berühren, wenn sie Wärme spüren möchten? »Du kannst von mir nicht verlangen«, hatte Samuel gesagt, »daß ich mich auch noch privat mit einem Mann befasse.« Anstrengende Veränderungen wollte er

102

nicht: »Wird er sich all dem aussetzen, um Süchtigkeit von außen betrachten zu können?« (ebd. 73). Samuel griff sofort auf die Liebe anderer Frauen zurück: eine weitverbreitete Form der Dosissteigerung, Drittbeziehungen, oft zunächst verschwiegen, dann *gebeichtet,* um zu verletzen, wählt der Mann in seiner unstillbaren Sehn-Sucht. Sie verschaffen ihm den vorübergehenden Rausch der Verliebtheit. Euphorische Begeisterung weicht dysphorischen Bedrängnissen. Diese Steigerung eines vernachlässigten Lebensgefühls ist nicht harmlos, sie ist mit angebbaren Gefahren für die körperliche und seelische Gesundheit aller Beteiligten verbunden. Verängstigte moralische Treuepostulate und Tabuisierungen von Eifersucht vernebeln diese.

Sehn-süchtig, auf eine besonders schwer erkennbare Art süchtig nach der Liebe der Frau, bestehen Männer auf ihrer sogenannten Freiheit. Nicht wenige männliche Psychologen ermuntern sie dazu. Peter Lauster zum Beispiel propagiert die Liebe, die nichts verlangt und nicht verdient werden muß. (Die Liebe, 93). Kleinste Erwartungen an den Partner wären schon unangebracht (ebd. 185), er soll statt dessen freigelassen werden (ebd. 96). Treue sei nur ein Begriff aus einer Moralpredigt (ebd. 152), sie zu verlangen Verrücktheit (154), weil Liebe keinerlei Zwang vertrüge und sich nicht auf die Beziehung zu einem Menschen fixieren lasse (157).

Was Eifersucht bedeuten kann, als gesunde und folgerichtige Reaktion auf die aus der Zweierbeziehung ausbrechende Sehnsucht, scheinen männliche Psychologen nicht erfahren zu haben. Eine Sucht reagiert auf die andere, das Unbewußte des einen auf das des anderen. Eifersucht wird als neurotisch verketzert, den Frauen zugewiesen und Sehnsucht glorifiziert, den Männern zugeordnet. Sehnsucht ist noch nicht als pathologisch erkannt worden. Untreue aber, wie sie meist inszeniert wird, geschieht schmerzvoll, fast immer rücksichtslos gegenüber den Beteiligten, fahrlässig gegenüber der eigenen psychischen und physischen Gesundheit. Untreue zieht Zusammenbrüche nach sich.

Simone de Beauvoir und Sartre, so lasen wir es und gaben es erfreut weiter, bauten ihre Beziehung auf die Werte der Wahrheit und Freiheit. Sie gestatteten sich ausdrücklich Liebesbeziehungen zu anderen und informierten sich über deren Details. Nach Sartres Tod wurde bekannt, daß er Eifersucht kannte, seinen »Nebenfrauen« nicht die gleiche Freiheit wie sich selbst zugestand und daß er ihnen gegenüber auch keineswegs immer offen war: Wahrheit und Freiheit also differenziert, dem einen gewährt, der anderen nicht. Offenbar gab es für Sartre Menschen verschiedener ethischer Wertigkeit und damit moralische Hierarchien. Das erscheint mir sehr fragwürdig. Es spricht vieles dafür, daß Simone de Beauvoir manchmal sehr unter Sartres Außenbeziehungen gelitten hat. Im zweiten Teil ihrer Autobiographie »In den besten Jahren« spricht sie im Zusammenhang mit Camille und Olga von Eifersucht, von Ärger, Unzufriedenheit und einem wirren Groll. Ihre aufkommende Traurigkeit verglich sie mit ihrer Angst vor dem Tode (ebd. 64, 67, 220, 221). In ihrem Roman »Sie kam und blieb« beschreibt sie die Schmerzen der Eifersucht so eindrücklich, daß niemand bezweifeln sollte, hier mit einem selbst durchlittenen Teil ihres Lebens konfrontiert worden zu sein. Lebensgefährliche Krankheiten und Torturen vorübergehender Geistesverwirrung steht die Heldin durch, ehe sie sich dazu durchringt, der »Liebe zu dritt« durch den Mord an ihrer Rivalin ein Ende zu bereiten. Ich muß diesen Roman als eine Warnung vor unerträglichen Strapazen interpretieren, die die Beauvoir nicht direkt auszusprechen wagte. Allen, die angeblich inhumane Treuezwänge der patriarchalischen Gesellschaft bekämpfen, muß gesagt werden, daß die Werte Freiheit und Wahrheit durch den der Rücksicht auf die Gesundheit der Beteiligten ergänzt werden müssen.

Friedrich Schiller läßt in »Die Räuber« Franz Moor sagen: »Die Schranken unserer Kraft sind unsere Gesetze.«

In ihrem Aufsatz »Utopie der Treue« stellt Marina Gambaroff fest, daß die Forderung der sexuellen Treue oft Enge, Selbstverleugnung und Selbstbetrug bedeutet. Sie betont aber ebenso nachdrücklich, welche Entfremdung das Prinzip Untreue mit sich bringt, vor allem dann, wenn die Beteiligten der Illusion von Freiheit als Problemlosigkeit zum Opfer fallen. Untreue aus

Kontaktverängstigung würde immer einen Kontaktabbruch zum Partner nach sich ziehen und notwendig bestimmte Aspekte der Beziehungswirklichkeit je zweier der Beteiligten ausblenden.

Gegenseitige Offenheit ist andererseits nach meinen Erfahrungen vor allem deshalb unerläßlich, weil der eifersüchtige Partner, wenn er verzweifelt leidet, erst durch die eigene Empörung und Wut auf den Suchtcharakter des Sehnens des anderen aufmerksam werden kann. Beide Süchte mögen einfühlbar und verständlich sein. Aber immer hat die Sehnsucht des einen die Eifersucht des anderen hervorgerufen, manchmal vielleicht auch umgekehrt.

Daß Frauen unserer Kultur stärker darauf achten, in sozialen Konfliktsituationen – und die Dreierbeziehung ist eine solche – niemanden der Beteiligten zu verletzen, auf Gewaltanwendung, auch in subtiler Form, zu verzichten, zeigt Carol Gilligan in »Die andere Stimme«. Sie entdeckte die Bindung intimer menschlicher Art als weiblichen und Autonomie als männlichen Wert. Bindung ist ein im Dienst des Lebens stehender und Autonomie ein typisch männlicher Un-Wert. Durch das Dogma einer neurotischen Freiheit wird die Kontinuität gewachsener menschlicher Bindungen in fahrlässiger Weise aufs Spiel gesetzt.

Ich denke, daß es neben der Untreue des Mannes noch andere schlimme Übel gibt, die als *Dosissteigerung* mit der von mir *Entzug* genannten Kalamität in Zusammenhang stehen. Einige davon möchte ich im folgenden erwähnen: die Prostitution, sexuelle Perversionen, Gewalt gegen Frauen und den sogenannten sexuellen Kindesmißbrauch.

Beginnen wir mit der Prostitution. Weshalb geht der Mann zu einer Prostituierten? Weil *seine* Frau keine Sexualität mit ihm mag. Weil sie einfach nicht mehr kann, keine Kraft mehr hat. Weil er sie lieblos angesprochen hat, unfreundlich war. Er erlebt ihre Verweigerung als Entzug. Er weiß nicht, daß viele Frauen schon in der Kindheit sexuell mißbraucht wurden und daß sie jetzt unsägliche Angst haben, wenn ein Mann in ihre Nähe kommt. Ihre Verweigerung kann auch ein Protest gegen eine notorische Überbeanspruchung sein, sie kann sich als Migräne zeigen. Selten versteht der Mann sie. Statt dessen erregt er sich, wenn er spürt, daß er keine Macht über die Frau hat. Seinen Anspruch will er durchsetzen. Warten und Werben ist ihm zu anstrengend. Er geht zu einer Prostituierten. Die soll ihm zu Willen sein, ihren Körper kauft er ohne weitere Beteiligung. Die Prostituierte sagt im allgemeinen nicht nein. Je nachdem, wieviel er anzulegen bereit ist. Sie braucht das Geld, obwohl sie sich vor dem Intimkontakt ekelt. Als Droge funktioniert sie scheinbar perfekt. Dafür haßt sie ihn – viel mehr, als ihn seine Ehefrau je gehaßt hat – dafür, daß er sie kauft und gegen ihren wahren Willen benutzt. Dabei leistet sie Arbeit. Keine Sklavenarbeit, denn sie empfängt Lohn. Vielleicht befriedigt sie auch die sexuelle Lust ihres Kunden, jedenfalls aber gewisse emotionale Bedürfnisse, vor allem Machtgelüste. Pieke Biermann hat in »Wir sind Frauen wie andere auch« dargestellt, was eine Prostituierte tut und wie sie sich dabei fühlt. Sie wird mütterlich und pflegerisch tätig, denn der Kunde erzählt ihr seine Probleme. Sie hört ihm zu und trägt seine Probleme in Gedanken weiter mit sich herum. Er spricht von seiner Verklemmtheit, seiner Impotenz, von seiner Ehemisere und davon, daß seine Frau ihn nicht liebt. Außerdem erzählt er seinen Lebenslauf. Sie richtet ihn auf, erzieht ihn auf ruhige Weise mit Hilfe einer spezifischen Psychologie, die sie eigens für diesen unter Entzugserscheinungen leidenden Mann entwickelt hat.

Der Prostitution benachbart ist die Perversion. Ich verstehe darunter jede gegen den Mitmenschen gerichtete Steigerung des sogenannten sexuellen Erlebnisses und nenne sie inhuman, wenn sie mit Unterwerfung und Gewaltanwendung verbunden ist, die den Betreffenden körperlich oder psychisch kränkt. Wer mit dem Begriff Mühe hat, sollte Simone de Beauvoirs Schrift über de Sade lesen (Soll man de Sade verbrennen?). Man kann ihn im Grunde nicht als lustorientiert, nicht einmal als vergnügungssüchtig bezeichnen. Seine Gefühle sind mit Herrschsucht und Ressentiments gegenüber Frauen besser beschrieben. Diese Motive nämlich bestimmten den Geschlechtsakt. Nicht Erotik, sondern Gewaltausübung war ausschlaggebend, außerdem Nervosität und Despotismus. Koitus und seelische Grausamkeit waren nahezu identisch. Zur Suchtbefriedigung benötigte de Sade sowohl die höchste Steigerung passiven Schmerzerlebens als auch die extreme Intensivierung aktiven Schmerzzufügens: »Dieser Mann, in dem sich eine aufbrausende, aber offenbar rasch abklingende Heftigkeit mit einer fast pathologischen ›Isolation‹ des Gefühls verband, suchte im erduldeten oder zugefügten Schmerz einen Ersatz für die Erschütterung« (ebd. 36). Deren war er ansonsten nicht fähig, weil er sein Leben lang von wirklichen menschlichen Begegnungen abgeschnitten war. Es sind sicher nicht alle Männer Sadisten, obwohl die meisten so erscheinen, als wären sie ihr Leben lang von menschlichen Begegnungen abgeschnitten. Beauvoir bedauert, nicht mehr von Sades Kindheit zu wissen, als daß er die Autorität seines Vaters akzeptiert und diesem gehorcht hat. Das allein sagt viel über die Psyche des *normalen* Mannes.

Tiefenpsychologen wissen etwas mehr über Perversionen und die Kindheit der Betroffenen. Medard Boss, der Zürcher Daseinsanalytiker, behandelte Erich Klotz, einen Sadisten, in über 600 Sitzungen. Erichs Vater war ein arbeitssüchtiger Großkaufmann, dem nur Wille und Erfolg etwas galten. Geldverdienen, Vorwärtskommen und Abwürgen aller Konkurrenten war sein Metier, alles andere Zeitverschwendung. Zärtlichkeit und Erotik gab es in diesem Klima nicht. Vater war Gott und Mutter sein Schatten. Erich wurde zum Abbild des Vaters. Er schämte sich jeder Gefühlsregung, verhielt sich rücksichtslos und schlau und konnte nur dann ein wenig froh werden, wenn er Konkurrenten überwältigte. Tanzte jemand nicht nach seiner Pfeife, dann reagierte er mit wahnsinniger Wut.

Wie Menschen gegenüber sonst, so reagiert der Mann auch in der Sexualität. In den wenigen Angaben finden wir Klotzens sadistische Grundmuster. Die familiäre Atmosphäre bestimmt selbstverständlich auch das sexuelle Verhalten. Klotz war süchtig nach der Frau wie sein Vater nach der Arbeit. Den höchsten Orgasmus erreichte er, wenn er Frauen mit dreckigen Wörtern beschimpfen, sie fesseln, an Stricken hochziehen durfte, bis sie wehrlos in der Luft herumzappelten. Er liebte es, sie einzuschnüren, bis sie würgten und kaum noch atmeten. Dann biß und peitschte er sie. Am liebsten hätte er sie »ganz auseinandergerissen«. Erst, wenn sie »aufgebrochen, aufgeknackt und auseinandergebrochen« vor ihm lagen, waren seine Vernichtungsimpulse einigermaßen befriedigt. So ähnlich muß sein Vater Konkurrenten behandelt haben: »Ein Lustmord wäre ein höchst intensiver Zustand der Angst.«

Hier sehen wir die Dosissteigerung des Perversen: Aggressionen und Deformierungswünsche bis zur psychischen und physischen Zerstörung. Selbst die grauenerweckende Existenz des hassend Manipulierenden bedeutet noch Abhängigkeit von der Frau. Er braucht sie nicht als ganzen Menschen, sondern als zu zerstörende Kreatur. Jede minimale Teilhabe an den Beziehungsmöglichkeiten der Frau ist ausgeschlossen. Wir entdecken nicht den geringsten Rest eines liebenden Miteinanders zweier eigenverantwortlicher, frei sich schenkender Individuen, und aus diesem Grund ist die Perversion der markanteste Beleg für die Abhängigkeit des Mannes von der Frau als lebloser Stofflichkeit. Man versucht, de Sade als abnorm hinzustellen und seine Existenz zu leugnen. Es ist sehr zum Schaden der Möglichkeiten seelischer Gesundung des Mannes und der Emanzipationsmöglichkeiten der Frau, daß man in diesem Pathologischen nicht das Normale erblickt. De Beauvoir bezeichnete das Schweigen über de Sade als skandalös, und sie wünscht uns, daß seine extreme Vereinzelung und die Wahl seines Lebensstils uns beunruhigen mögen. Ich denke, daß Männer zu dicht an sich selbst herankämen, wenn sie sich damit beschäftigten.

Gewaltanwendung des Mannes wird in unserer Gesellschaft hingenommen. Dagegen bestraft und tabuisiert man die Verweigerung der Frau. Männer haben das Recht, ihre Ehefrau zu vergewaltigen. Sarah Haffner nennt den Trauschein Hauschein (a.a.O. 176). Sie erwähnt ein Sozialexperiment, das demonstriert, daß männliche Passanten nicht eingreifen, wenn auf der Straße ein Mann eine Frau verdrischt, *weil sie annehmen, es sei seine Ehefrau.* Anderen Männern kommen sie dagegen zu Hilfe, wenn diese von Frauen angegriffen werden.

Wenn man darüber mit Männern ins Gespräch kommt, erkennen sie bald die eigene Hilflosigkeit hinter ihrer Gewalt. Sie spüren das Schwache und Kranke darin. Um sich zu rechtfertigen, sprechen sie manchmal davon, daß die Frau Brutalität mag. Diese Schutzbehauptung wählen sie, weil sie sich den seelischen Schaden bei der körperlichen Gewalt nicht vorstellen können. Über die weibliche Sexualität schaffen sie sich Mythen, die untereinander weitergegeben werden. Zum Beispiel, daß Zärtlichkeit nur *Vorspiel* sei, daß Sexualität Kraft erfordere usw. Trotz der sogenannten sexuellen Aufklärung wissen die wenigsten Männer, daß Frauen Zärtlichkeit genießen, ohne mehr zu wollen. Solange Männer solche Tatsachen verdrängen, weil sie ihren Machtgelüsten nicht entsprechen, wird es keine richtige Aufklärung geben. Nicht in erster Linie der Entzug der Sexualität, sondern der der Macht über die Frau läßt den Mann gewalttätig werden. Sie soll willig und benutzbar bleiben.

Von Sarah Haffner befragte Frauen gaben die Gründe an, deretwegen sie von ihren Männern geschlagen worden waren: Weil sie sich scheiden lassen wollten. Weil er sich nicht schon in der Kneipe prügeln konnte. Weil er so viel getrunken hatte. Weil er neidisch war. Weil ihm das Essen nicht schmeckte. Aus unbegründeter Eifersucht. Weil sie den Fernseher leise gestellt hatte. Weil sie nicht auf den Strich gehen wollte. Um sie zu erziehen. Um ihren Gehorsam zu erzwingen. Aus Minderwertigkeitsgefühlen ihr gegenüber usw. (ebd. 41–47).

In der Jugendstrafanstalt Hameln-Tündern arbeiten die Psychologen Michael Heilemann und Rüdiger Pern in Gruppen mit jugendlichen Vergewaltigern. Sie sind ständig mit der Gewalt im ganz normalen Mann konfrontiert. Mit seiner Gleichgültigkeit gegenüber der Tat und seiner absoluten Verständnislosigkeit. Er weiß weder etwas über die Frau, noch kennt er die eigenen Motive. Bewußt ist ihm nur, daß die Frau nichts wert ist. Der Haß stammt aus der frühen Kindheit, in der der Sohn von der Mutter abhängig war. Nun rächt er sich und zerstört die Droge. In der erwähnten Gruppe hockt die geballte Kraftlosigkeit. Rolf schweigt dumpf vor sich hin. Klaus wirkt scheu und verletzlich.

Jürgen ist total verklemmt. Uwe findet Frausein wie »der letzte Dreck sein«, und Dieter will nicht glauben, daß Prostituierte mit ihren Kunden keinen Spaß haben. Rolf will lieber mit einer dummen Frau leben, weil die tut, was er will. Und wenn nicht? »Dann kriegt sie eins aufs Maul.« Normalerweise werden Vergewaltiger weder therapeutisch behandelt noch über Gefühle aufgeklärt. Sie werden vielleicht eingesperrt und nach Jahren unwissend entlassen. In der Haft gwinnen sie nicht die Einsicht, daß Frauen Menschen sind.

Sarah Haffner studierte Reaktionen sozialer Institutionen auf männliche Gewalt und stellte fest, daß sich – außer zwei evangelischen Pfarrern – niemand zuständig fand. Weder für die seelische Not der Opfer noch für die Bedrängnis und Unmenschlichkeit der Täter. Alle winkten ab, die Polizei, die Krankenhäuser, die sogenannten Seelsorger, die Familienfürsorge, Sozial- und Jugendämter, das Gesundheitsamt, der sozialpsychiatrische Dienst, Eheberater, Nervenheilanstalten, Rechtsanwälte und Richter. Es scheint, als seien sich alle einig, daß der Mann die Frau zu dringend braucht, um ihm diese Stabilisierungsmöglichkeit zu nehmen. Gewalt gegen sie wird in Kauf genommen. Als Mann und Psychotherapeut habe ich für Männer Mitgefühl. Jedenfalls für die, die lernen möchten. Für die, die über ihre Irritationen sprechen und sich bemühen, aus gegenseitiger Hilfe Nutzen zu ziehen. Schließlich bezahlen sie für ihre frauenverachtenden Suchthandlungen mit Vereinsamung und Schuldgefühlen, Sinnlosigkeitsanwandlungen und Suizidalität. Damit der Mann aber beginnen kann, an sich zu arbeiten, muß die Frau sich ihm entziehen. Erst dieser Entzug würde den nötigen Leidensdruck schaffen.

Dieser entsteht nicht oft. Männer halten zusammen, wenn es um Frauen geht. Hinter jedem auffälligen Gewalttäter sitzt einer, der noch eine *weiße Weste* hat. Er arbeitet an dem negativen Frauenbild und suggeriert den Drogencharakter der Frau. Sie sitzen, schwadronieren und schreiben, und sie demonstrieren gegen die Frau, Politiker, Intellektuelle und Journalisten.

In ihrem Buch »Gegen unseren Willen – Vergewaltigung und

Männerherrschaft« gibt Susan Brownmiller die Bestandteile dieses Frauenbildes an. Angeblich ist die Frau masochistisch. Sie entwickelt Lustgefühle, wenn sie vergewaltigt wird. Ihr fehlt der eigene Wille. Sie hat den unbewußten Wunsch, verführt, genommen, aufgerissen und vernascht zu werden. Ihr gebührt ab und zu eine Tracht Prügel. Männer sagen es ihren Söhnen: Die Frau ist hingebungsvoll, abhängig vom Mann. Im Grunde wolle sie es so, wie der starke Mann es ihr gebe. Brownmiller bestätigt, daß Männer nicht erotische, sondern Machtgefühle suchen, solche, die ihren Kleinheitswahn und ihre Minderwertigkeitsgefühle abbauen. Vergewaltigung sei ihnen der einleuchtendste Beweis eines Sieges über die gefürchtete Frau, der sie mißtrauen. Deshalb bestrafen und erniedrigen sie sie. Alfred Adler hat gegenüber Sigmund Freud recht behalten: Es geht um Macht und nicht um Sexualität. Brownmiller untersuchte kollektive Entzugssituationen, den Krieg und andere Zeiten gewalttätiger gesellschaftlicher Umwälzungen. Vergewaltigungen von Frauen begleiteten alle diese Katastrophen, in allen Völkern, ungeachtet der weltanschaulichen Orientierung der Soldaten oder Revolutionäre. Auch Freiheitskämpfer und Guerilleros begehen an den Frauen ihrer Gegner Unrecht (ebd. 84). Im Krieg und Kampf haben sie den Freibrief, sich die langentbehrte Droge zu verschaffen und zu konsumieren. Ob im Namen Gottes, Stalins oder Hitlers – Frauen werden nicht vergewaltigt, weil sie dem Feindeslager angehören, sondern weil sie Frauen sind. Nicht Nationalismus liefert die Ideologie dafür, sondern Sexismus. Der Krieg der Männer gegen die Frauen wütet immer. Sein suchtmotiviertes Frauenbild erlaubt dem Mann, den Opfern seiner Gewalttaten die Schuld dafür zuzuweisen.

So kommt es konsequent zur äußersten Brutalität der Sucht, dem *sexuell* genannten *Mißbrauch* junger Mädchen. Der Ausdruck Mißbrauch suggeriert, daß es auch einen angemessenen Gebrauch gibt, darum mißfällt er mir.

Männer, Verwandte, Bekannte nähern sich Mädchen, die ihnen angeblich am Herzen liegen, mit sexuellen Ansprüchen. Florence Rush fand heraus, daß fast alle Frauen irgendwann im Le

111

ben, oft jahrelang, von Vätern, Brüdern, Onkeln, Großvätern oder Bekannten sexuell belästigt und mißhandelt werden (Das bestgehütete Geheimnis). Ob sich die Liebespartnerin entzogen hat? Weil sie selbst als Mädchen vergewaltigt wurde? Ob der Mann egoistisch, uninformiert über die Bedürfnisse der Frau, zu passiv, zu stolz war, um sie zu werben? Ob er keine Geduld hatte oder zu träge war? Ob er der Konsumwerbung und ihrem Mädchenbild zum Opfer fiel? Es muß ihm leichter erschienen sein, sich sein vermeintliches Recht bei einem verängstigten, widerstandslosen, unerfahrenen Mädchen zu verschaffen, das ihm emotional und körperlich weit unterlegener ist als die erwachsene Frau, zudem vertrauensselig und abhängig von ihm, dem geliebten Vater oder Bruder. Und auch die körperlich zarte erotische Annäherung an ein junges Mädchen enthält eine unvorstellbare Grausamkeit. Rush erfuhr, daß alle mißhandelten Mädchen darüber schwiegen, weil niemand ihnen Glauben schenken wollte, nicht einmal die eigene Mutter. Männer und Frauen haben bis vor kurzem so absolut dichtgehalten, daß die Öffentlichkeit nichts erfuhr. In einem Bericht an den Ausschuß für Pornographie und Obszönität in den USA schrieb ein Chirurg: »Ich habe in letzter Zeit in der Gynäkologie und Geburtshilfe gearbeitet. Was sich dort abspielt, ist äußerst erschreckend. Die Stationen und Krankenzimmer sind voll junger Mädchen... Sie sind innen zerfetzt. Die Reparaturarbeit, die wir leisten, spottet jeder Beschreibung. Diese Mädchen sind allen erdenklichen Arten von sexuellem Mißbrauch ausgesetzt worden. Früher pflegten Ärzte derart zugerichtete Prostituierte zu behandeln, aber heute müssen wir Mädchen aus den besten Familien behandeln« (ebd. 30).

In 80 Prozent der Fälle war ein Verwandter oder ein Freund der Familie der Täter. Er stammt nicht aus einer *gestörten* Familie. Was heißt das? Kann eine Familie, die einen Mann in die Welt entläßt, der gegen junge Mädchen Gewalt anwendet, als *nicht gestört* bezeichnet werden?

Das betroffene Mädchen schweigt. Aus Angst, daß man ihm nicht glaubt, daß es noch schlimmer kommt und weil es möchte,

112

daß die Eltern wieder gut sind. Es entschuldigt sogar die Tat des Kinderschänders und duldet Übergriffe jahrelang. Eine vierzigjährige Frau erzählte mir, daß ihre Eltern gemeinsam über sie hergefallen seien und sie furchtbar geschlagen hätten, nachdem sie der Mutter von des Vaters Verhalten erzählt hatte. Eine andere, die sieben Jahre lang, vom zwölften Lebensjahr an, die Geliebte ihres älteren Bruders sein mußte, berichtete, daß er gedroht habe, sie zu erschlagen, wenn sie etwas erzähle. Die meisten Mädchen verdrängen alles sofort, werden sexuell unempfindlich und haben Alpträume. Sie haben Schuldgefühle, weil ihnen jemand eingeredet hat, daß sie sündig seien. Eine Mutter hatte gesagt: »Du Hure hast deinen Vater verführt.« Es müsse eine Hexe sein, die in diesem Mädchen stecke, denken viele.

Hexen waren bekanntlich Ärztinnen, die nicht auf die herkömmliche Art geschult worden waren. Als Konkurrentinnen der damaligen Mediziner- und Kirchenkreise stellten sie deren Monopol für seelische und körperliche Heilkünste in Frage, weil sie teilweise bessere Erfolge hatten. Vor allem wirtschaftliche Konkurrenz brachte die mittelalterlichen Hexenverfolgungen hervor, und die zu ihrem Zweck benutzte Ideologie stempelte die Hexe als geisteskrank, allgemeingefährlich und als mit dem Teufel im Bunde ab. War sie jung oder hübsch, dann wurde sie als Verführerin gebrandmarkt, die männliche Unschuld ins Böse hineinzieht. Männliche Sucht hatte Wahncharakter angenommen und zum Holocaust an ungezählten Frauen geführt.

Eine Psychologie des Hexenverfolgers wäre heute noch aktuell. Der kraftlose Mann haßt die tüchtige Frau, weil er von ihr abhängig ist und ihre Konkurrenz fürchtet. Nach animistischer Manier stattet seine Phantasie sie mit böser Macht aus. Wer stärker ist als er, muß mit dem Satan im Bunde stehen. Heute ist dem Mann jede emanzipierte Frau unheimlich. Infolgedessen bekämpft er sie, subtiler und weniger offensichtlich als damals.

Die Geschichte der Hexenverfolgung ist die des frauensüchtigen Mannes, der sich auf dem Höhepunkt des Entzugsschmerzes nur noch durch die Zerstörung der Droge retten wollte. Die Kindesmißhandlung von heute ist die moderne Hexenverfolgung.

Der Wille des Mädchens wird gebrochen, damit es nie wieder wagt, sich einem Manne zu widersetzen.

Der Täter erreicht das Gegenteil von dem, was er unbewußt wollte. Das Mädchen ist so schwer geschockt und geschädigt, daß es als erwachsene Frau nie wieder einen befriedigenden zärtlichen Austausch mit einem Mann erleben kann. Hier liegt die Ursache für die mangelnde weibliche Empfindungsfähigkeit, die Männer Frigidität nennen. Die angebliche Hingabeunfähigkeit ist eigentlich eine verständliche Gegenwehr.

Früher schimpfte der Süchtige die sich verweigernde Frau Hexe, heute Emanze. Sie ist tapfer und selbständig, zu unabhängig vom Mann, also ist sie frigide, abnorm, nicht mehr ganz richtig im Kopf. Tatsächlich aber ist sie nicht länger bereit, des Mannes Entzugskrankheit zu heilen. Früher wollten Männer die Endlösung der Drogenfrage per Scheiterhaufen. Heute sperren sie Frauen in die Doppelbelastung ein und tun so, als ob die Arbeit in Familie und Beruf eine Befreiung sei.

Ich fasse zusammen:

1. *Die Gewöhnung des Mannes an die Frau:* Das Patriarchat bestimmt die Familie als Drogenszene und die Mutter als Droge. Das Ritual des Umgangs der Mutter mit ihrem Sohn bewirkt dessen Abhängigkeit von ihr. Er hat keine andere Wahl, als sich durch Verwöhnung drogensüchtig machen zu lassen. Der Drogendealer ist der Vater, die Szene die Gesellschaft. Der Vater entzieht sich seinem Sohn und bietet ihm statt dessen die Mutter an. Er bleibt ihm ungewohnt und erscheint ihm ungewöhnlich. Die Wirkung der Mutter auf ihren Sohn ist motivierend und anregend, beruhigend und lebenserhaltend. Immer aber gleichzeitig angsteinflößend und abschreckend, weil suchterzeugend. Das familiäre Drogenmodell ist der Prototyp aller anderen Abhängigkeitssituationen in dieser Gesellschaft.

2. *Frauenabhängigkeit:* Der Mann braucht die Frau sowohl physisch als auch psychisch, als Arbeitskraft in Haus und Beruf, als Betreuerin der Kinder, Sexualobjekt, Therapeutin und als minderwertigen Vergleichsmenschen. Seine körperliche Nähe ist un-

echt, seine Berührungen sind gewalttätig. Ohne die Macht, die er über die Frau ausübt, hat der Mann zu wenig Selbstbewußtsein, um leben zu können.

3. *Entzugserscheinungen:* Weil der Mann an seine Mutter früher, länger und intensiver als an den Vater und andere Menschen gewöhnt wurde, führt eine Trennung von der Frau beim erwachsenen Mann zu Sinnlosigkeitsgefühlen, Identitätsverunsicherung und zu verzweifelten Reaktionen. Auch bei erneutem Kontakt mit der Frau nimmt er auf ihr Leben, auf sie als Person und auf ihre Bedürfnisse zu wenig Rücksicht. Er kann seine Entzugserscheinungen deshalb nur kurzfristig, nie dauerhaft beseitigen.

4. *Dosissteigerung:* Zur Erreichung der bisher erzielten Wirkung, die einerseits in Geborgenheit, sozialer Aufmerksamkeit und menschlicher Entwicklung, andererseits im Vergessen der Lebensnöte und Aufgaben, der körperlichen Verletzlichkeiten, der zunehmenden altersbedingten Hinfälligkeit und der Tatsache des Todes besteht, muß der Mann allmählich die *Dosis Frau* steigern. Er tut dies in Form der sogenannten sexuellen Untreue, Prostitution, Perversionen, Vergewaltigungen und Gewaltanwendungen, schließlich durch Machtmißbrauch und Mißhandlungen junger Mädchen.

5. *Bestrafung:* Gesellschaftlich offiziell nicht erlaubten *Drogenkonsum* bezahlt der Mann auf Grund der Doppelmoral der Gesellschaft oft mit direkter Fremdbestrafung, immer mit Selbstbestrafung in Form von Unruhe, Schlaflosigkeit, Arbeitsstörungen, diversen psychosomatischen Männerkrankheiten (Herz, Kreislauf, Streß, Lumbago, Asthma u. a.) sowie mit seinem zu frühen Tod.

6. *Gewaltanwendung:* Nicht nur sich selbst gegenüber reagiert der Mann gewalttätig, sondern direkt und indirekt auch gegenüber der Frau. Er schlägt sie, um sie zum Vollzug der von ihr erwarteten Dienste zu zwingen. Er bedroht sie, sperrt sie ein, erpreßt und vergewaltigt sie. Ohne dadurch eine Befreiung zu erzielen, zerstört er, wovon er abhängig ist.

Es gibt keine harmlosen Drogen. Jeder Drogenkonsum, auch der der Frau, ist im Grunde eine allmähliche Selbsttötung. Die Abhängigkeit des Mannes von der Frau verkürzt sein Leben stärker als das der unterdrückten Frau. Nicht nur bestimmte, kraftlose Männer sind frauensüchtig, sondern alle.

Innerhalb dieses gesellschaftlichen Arrangements gibt es keine Drogentherapie. Die Männersucht könnte im Sinne einer Drogenprophylaxe nur auf die Dauer abgebaut werden, indem man das Monopol der Frau bei der Kinderbetreuung auflöst. Die Gesellschaft wird alles tun, um diese Thesen zu bagatellisieren. Sie wird jeder Art von Aufklärung über die beklagenswerten Zustände weiterhin stärksten Widerstand entgegensetzen, weil andernfalls »kein Stein auf dem anderen« bliebe. Institutionalisierte Machtstrukturen müßten sich ändern, damit die Macht der Väter im Staat und die der Mütter über die Kinder gerecht verteilt würde. Dann aber würden sowohl der Staat als auch die bisherige Kindererziehung überflüssig.

8. Die expansive Eifersucht des Mannes auf die starke Frau

Männer besitzen ein unbewußtes Ich-Ideal und ein entsprechendes Gegenbild. Das erste streben sie an, das zweite verabscheuen sie. Beide Wertsysteme vermittelte man uns in unserer frühen Kindheit. Wir sollen stark sein und angstlos. Wir sollen alles Schwierige meistern, ohne Schwächen zu zeigen. Schweigen, die Zähne zusammenbeißen, die technischen, organisatorischen und wirtschaftlichen Probleme lösen, auf Männerart. Wuchtig und hart. Sanft, weich und gefühlvoll sein, den Kampf aufgeben dürfen wir nicht. Das gilt als minderwertig. Inzwischen sagen Frauen, daß sie sich letzteres wünschen, vor allem Einsicht in die Schädlichkeit des Ich-Ideals. Beginnen wir aber mit der entsprechenden Arbeit, dann wollen Frauen, daß wir sie mannhaft erledigen und gefaßt, nicht weinerlich beim Weinen, nicht rührselig, wenn wir berührt sind.

Manche von uns möchten umlernen. Lernen heißt Fehler machen, unsicher sein. Es gehört eine Menge Stabilität dazu, das Idealbild des Unerschütterlichen, Ungerührten in Frage zu stellen. Ein solches Unterfangen rührt an schwer erreichbare Wertdimensionen. Von heute auf morgen, durch einfache Verhaltensänderung, ist es nicht zu erreichen. Allen pseudooptimistischen Meldungen, zwischen Mann und Frau habe sich schon vieles zugunsten der Frau verändert, mißtraue ich zutiefst. Ich glaube nicht, daß viele Männer im Haushalt arbeiten, sich um ihre Kinder kümmern und ihren Partnerinnen mit Respekt und Liebe begegnen. Manche männliche Abwehr mag erkennbar geworden sein. Die emotionale Blockierung, die Entwertung der Frau, die Unfähigkeit zu leiden und zu trauern und die perfektionistische Haltung des Mannes.

Eine Form des Widerstands gegen Selbsterkenntnis ist noch nicht durchgearbeitet: die Eifersucht des Mannes auf die starke Frau. Wir müssen uns klarmachen, daß es sich um ein äußerst kompliziertes Problem handelt. Meist erscheint Männern diese Thematik ganz absurd. Eifersucht ist für sie gar kein Thema, sofern es nicht um Seitensprünge geht. Außerdem tun sie, als wüßten sie nicht, was eine starke Frau ist.

»Eifersucht ist eine Leidenschaft, die mit Eifer sucht, was Leiden schafft.« Diese Cervantes zugeschriebene Einsicht kann ich ergänzen. Diese Leidenschaft ist eine notwendige Folge der Frauensucht des Mannes. Es ist die Sucht des abhängigen Eiferers, der die Frau an ihrer Expansion hindert, um sie wie seinen Besitz festzuhalten. Nicht nur die Bewegung auf andere Männer zu, der Eifersüchtige verbietet jede Bewegung, jede Freiheit zum Wachstum, zur Leistung und zur Anerkennung in der Welt. Weil er keine starke und als solche bestätigte tüchtige Frau will. Das Eigentum an ihr, das Nutzungsrecht will er. In seinem Buch »Dialektik ohne Dogma« erwähnt Robert Havemann, daß Eifersucht französisch *jalousié* heißt: eingesperrt. Die ins Haus gesperrte Frau bewegt sich hinter heruntergelassenen Jalousien, damit sie nicht gesehen werden und auf andere zugehen kann. Havemann ergänzt, daß Eifersucht in der koreanischen Sprache durch ein Quadrat mit einem Strich darin symbolisiert wird: die im Hause eingeschlossene Frau. Entgegen dem landläufigen Vorurteil, daß Eifersucht zur Liebe gehört, halte ich Liebe im Gegenteil für die Fähigkeit, den Liebespartner wachsen zu lassen. So lange, wie die Expansion der/des Geliebten nicht unerträglich schmerzvoll wird. Liebe ist die Fähigkeit, Neues am Bekannten, Fremdes am Vertrauten wahrzunehmen und zuzulassen.

Männer kennen die Eifersucht der Frau auf andere Frauen und fühlen sich durch sie gehindert. Der Eifersuchtsschmerz der Frau kann aber echt sein, unvermeidlich und gesund. Womöglich ist es nicht einmal sinnvoll, ihn überwinden zu wollen.

Mir geht es um eine andere Eifersucht. Sie repräsentiert eine emotionale Bereitschaft speziell im männlichen Lebensplan. Der Mann wird auf die Tüchtigkeit und Stärke seiner Partnerin eifersüchtig, zum Beispiel darauf, daß andere Menschen sie ihm vorziehen. Auf ihre Kontaktfähigkeit könnte er eifersüchtig werden, auf die Wärme, die sie ausstrahlt, und auf ihre liebenswürdige Art, mit Menschen umzugehen. Ohne so werden zu wollen wie sie, will er die Anerkennung, die sie bekommt. Er muß einfach immer – zwanghaft – im Mittelpunkt stehen. Diese Eifersucht des Mannes enthält Angst vor ihrer menschlichen Entwicklung, vor ihrer Bewegung weg von ihm. Darum spreche ich von Eifersucht und nicht von Neid. Im Wort Eifersucht stecken zwei Worte. Beide sind in diesem Zusammenhang bedeutsam.

»*Eifer*« ist ein heftiges Bemühen. Im Althochdeutschen heißt *eiver* soviel wie scharf und bitter. Im Englischen heißt *avor* scharf oder Herr. In der Tat, im Eifersuchtsaffekt liegt Schärfe, die den Neid übertrifft.

Unter »*Sucht*« versteht man eine krankhafte Abhängigkeit. Sie hängt mit »Siechen« zusammen. Eifersucht hat diesen Suchtcharakter. Männer sind wie süchtig nach dem Eifer, der Bitterkeit, der Schärfe und der Aggression, mit der sie die Frau, die sich expansiv oder persönlich entwickelt, traktieren. Süchtig finden sie, hellhörig und empfindlich, immer neue Anzeichen für die Emanzipation der Frau. Ihrer zentrifugalen Bewegung wegen ereifern sie sich gegen die Frau mit herrischer Attitüde. Der Entzug des hochmütigen Vergleichs mit der minderwertigen Frau droht.

Alles, was die Frau sich selbständig erobert, macht den Mann eifersüchtig, nicht nur, weil ihm die Kontrolle über sie entgleitet, sondern auch, weil er im tiefsten Innern spürt, daß auch er gefangen ist. Sie hat sich etwas erobert, was er prinzipiell auch hätte erobern wollen.

Ich spreche nicht von Neid, weil Neid auf ein Habenwollen hinweist. Der Mensch wird unter Umständen neidisch, wenn jemand etwas hat, was er nicht hat. Mit Eifersucht werden Seinskomponenten angesprochen. Die Frau *ist* in einer Weise, in der der Mann nicht *ist*. Sie fühlt, denkt und handelt anders. Es spricht einiges dafür, daß im Falle der Eifersucht immer wenigstens ein Dritter mitspielt. Für den Mann alle diejenigen, die die emanzipierte Frau anerkennen und bestärken. Ihm, der sich für überlegen hält, entgeht jetzt etwas, was er früher bekam. Hinsichtlich des Neids gilt das nicht unbedingt. Ich kann jemanden beneiden, weil er etwas hat, was ich nicht habe, oder etwas darstellt, was ich nicht repräsentiere. Dazu bedarf es keiner dritten Person.

Wir wollen nicht dogmatisch sein, vielleicht lassen sich Neid und Eifersucht nicht so genau differenzieren. Halten wir die Begriffe ruhig flexibel, und legen wir uns nicht fest. Wahrscheinlich neigt der Eifersüchtige zum Neid und umgekehrt. Wichtiger ist mir, daß die Eifersucht des Mannes geeignet ist, das männliche Wesen in dieser Kultur besser zu verstehen. Eifersucht ist womöglich die hervorragende männliche Emotion, eine Haltung, durch deren Verständnis wir den innersten Kern der Persönlichkeit des Mannes erreichen.

Arthur Schopenhauer nimmt eine Dreiteilung der menschlichen Persönlichkeit vor, in das, was einer hat, was einer vorstellt und was einer ist (Aphorismen zur Lebensweisheit). Was einer hat, ist sein Besitz, sein Status, Rang oder Posten in der sozialen Hierarchie. Was einer vorstellt, meint, was er in der Vorstellung der anderen ist, sein Prestige, die Ehre, die man ihm bezeugt, der Ruhm, den er auf sich zieht. Gefühle des Neides können wir auf diese beiden Teile der Person beziehen. Auf das, was einer ist, seine eigentliche Persönlichkeit, sein Charakter, seine Kraft, seine Gesundheit und seine Gesinnung, reagiert der andere mit Eifersucht. Ich möchte eine vierte, von Schopenhauer unterdrückte Dimension berücksichtigen: das, was einer wird. Wir entdecken es erst, wenn wir für persönliche Veränderungen sensibel sind. Ohne Entwicklung zu erleben, können wir die Umstrukturierung der Identität des Mannes, der eine emanzipierte Frau hat, und seine Eifersucht nicht verstehen. Eifersucht entsteht nicht zwangsläufig. Der Mann könnte staunen, sich an dem freuen, was die Frau ihm voraus hat und entfaltet. Dann bewundert er und lernt daraus. So erhielte er womöglich selber Auftrieb zum seelischen Wachstum.

»Gegenüber allzu großen Vorzügen des anderen hilft nur die Liebe«, sagt die Gräfin Ottilie in Goethes »Wahlverwandtschaften«. Wenn ich die Vorzüge der Frau nicht wahrnehme, liebe ich sie nicht.

Eine außerordentliche Frage muß gestellt werden: Wie wird der Mensch? Gälte die Theorie von der Vererbung psychischer Eigenschaften, dann würde er gar nicht, dann wäre er und bliebe so. Menschen, die für den kleinen schöpferischen Spielraum der Freiheit ihres Wachstums aufgeschlossen sind, weil sie erleben, daß sie ihre Entwicklung gestalten, weisen sowohl die Hereditäts- als auch die Milieutheorie zurück. Der Mensch wird nicht – passiv – ausschließlich von seiner Umwelt gemacht.

Wir können auch die Größe der Spielräume unserer Freiheit beeinflussen. Wir können Freiheit erobern, je nachdem wir leben, zur Umgestaltung des bei der Geburt Vorgegebenen und der Umwelt, zur Umgestaltung der eigenen Identität und der gesellschaftlichen Verhältnisse. Es gehört zu meiner Identität, mehr oder weniger ändern und aufbauen, freier werden zu können, als ich bisher war.

Männer stellen sich diesen Fragen selten. Daher wissen wir, wer der Mann ist: der, der keine Veränderung möchte, weil er Angst vor sich selbst hat und nicht erfahren möchte, was in ihm schlummert. Wie ich auf diese Verweigerung reagiere, zeigt mir wiederum Aspekte meiner Persönlichkeit. Am deutlichsten zeigt sich, wer der Mann ist, wenn seine Gefährtin sich, und damit die gemeinsame Situation, verändert. Viele Männer kämpfen darum, daß alles so bleibt, wie es war. Sie haben Furcht vor der Freiheit (vgl. E. Fromm, Die Furcht vor der Freiheit). Die Entwicklung der Frau aber ist nur als eine gewisse Befreiung von ihrem Partner möglich. Hier ist der Ansatz zur Erforschung der männlichen Eifersucht, von der wir so wenig wissen, weil es Frauen in früheren Zeiten nicht im selben Maße möglich war, ihre Fesseln abzuwerfen. Heute kann die Frau in der Berufswelt aktiv werden, ohne allerdings eine echte Emanzipation zu erreichen. Um der Doppelbelastung zu entgehen, kann sie den Mann und die Familie verlassen. Sie kann allein wohnen und ihre *Angehörigen* gelegentlich besuchen, ihre Zeit mit Freundinnen oder Freunden verbringen, politisch arbeiten, in Frauengruppen usw.

Bei all dem muß sie eine große Kraftanstrengung auf sich nehmen.

In jedem dieser Fälle wird sich die Beziehung zwischen ihr und dem Mann entscheidend verändern. Nicht Kastrationsangst (Freud), sondern Eifersucht ist die wahrscheinlichste Reaktion, Identitätsverunsicherung und -krise. Oft kommt es zu einer spürbaren, empfindlichen Störung der Leistungsfähigkeit. Auch Sinnlosigkeitsgefühle gehören zu den Symptomen der expansiven Eifersucht des Mannes, der Eifersucht auf die Expansion der Frau. Es muß nicht zur letzten Konsequenz, der Flucht der Frau, kommen. Für ihre ersten Gehversuche mag der Mann sie verachten. Oft mißhandelt er sie, brutal oder subtil. Wehrt sie sich aber gegen Störversuche, holt sie sich Hilfe oder geht von ihm weg, dann fällt er in seine frühkindliche Eifersucht zurück. Sie ist in der patriarchalischen Gesellschaft ein wichtiger Überlebensmechanismus des Mannes. Er hat schon immer geahnt, daß er ihr in vielem unterlegen ist. Deshalb wollte er es auf bestimmten Gebieten nicht zu einem Wettbewerb kommen lassen. Nun geht es ihm an die Substanz. In der Krise konkurriert er mit seiner bisherigen Helferin, obgleich er doch schon alle Hände voll zu tun hat, um den beruflichen rivalitären Anforderungen zu genügen. Die Emotion der Eifersucht mahnt zur höchsten Wachsamkeit. Betty Friedan macht darauf aufmerksam, daß Frauen in männlichen Berufen, als Mitarbeiterinnen von Männern, deren erbitterte Feindseligkeit zu spüren bekommen, wenn sie mit ihnen rivalisieren (Der Weiblichkeitswahn). Es sei für Frauen einfacher, zu *lieben* und *geliebt* zu werden, als sachlich und beruflich auf Selbstverwirklichung zu drängen.

Wie sich Frauen auf Männerposten, unter Männern, fühlen, schildert Cornelia Edding in »Einbruch in den Herrenclub«. Eine Abteilungsleiterin erzählt, daß sie sich nicht auf die eigentliche Arbeit beschränken kann: »Besonders wichtig, um von den Kollegen akzeptiert zu werden, waren die Einzelgespräche, die ich geführt habe. Abends habe ich ganz bewußt die Zeit dafür geopfert... Ich mußte einfach um Sympathien kämpfen, damit ich meine Ruhe hatte und arbeiten konnte... Die haben einfach

Minderwertigkeitskomplexe. Ich habe mich für deren Sachen interessiert, für ihre Krankheiten und sonstigen Probleme, und ich war vorsichtig... habe... mich auch manchmal dumm gestellt« (ebd. 113).

Sie darf weder den Eindruck erwecken, auf diesem Posten tüchtiger als der Mann zu sein, noch darf sie die pflegerische Zusatzarbeit verweigern. Sein Eifersuchtskampf wäre zerstörerisch für sie. »Es gilt (für Männer, d.Verf.) als nobler, von einem ›überlegenen‹ Mann versklavt als von einer ›unterlegenen‹ Frau übertroffen zu werden«, schreibt Phyllis Chesler in »Über Männer« (42). Im Juli 1982 äußerte sich die Bonner Entwicklungshilfeministerin Marie Schlei, die dem damaligen Bundeskanzler Schmidt viel Arbeit abnahm, über Männerclubs, in denen Informationen gehandelt und Jobs ausgekungelt werden: »Es scheint im Wertbewußtsein der Männer noch nicht möglich zu sein... neben einer Frau als Nummer eins nur Nummer zwei zu sein« (in: Der Spiegel, Juli 1982, 186).

Die expansive Eifersucht des Mannes versteckt sich mitunter, zum Beispiel hinter Größengefühlen, als Annahme, die Frau hätte nichts Wesentliches zum Gespräch beizutragen. Senta Trömel-Plötz untersuchte Männer in Gesprächen. Sie üben Macht aus, nicht weil sie kompetenter, differenzierter, klüger oder beschlagener sind, sondern einfach deshalb, weil sie Männer sind: »Ich empfand Männer als störend und hinderlich, sie verhinderten Lernen durch ihr ständiges Wettstreit- und Argumentiergehabe; sie unterdrückten Kreativität durch ihr Dominanzgebahren« (a.a.O., 11). Colette Dowling schildert viele Beispiele von Frauen, die von ihren Männern offen oder versteckt an beruflichem Erfolg gehindert wurden. Intelligente, energiegeladene Frauen, die begeistert und voller Hoffnung zu arbeiten oder zu studieren begannen, kehrten wieder ins traute Heim zurück. Dowling deutet das als Schwäche. Sie selbst hatte, nach langen Jahren selbständiger, erfolgreicher Arbeit als Redakteurin, einen interessanten Mann kennengelernt und wieder begonnen, gute Hausfrau zu sein: Rückwärtsentwicklung, freiwillig, wie sie betont. Mit der Zeit entdeckte sie Unterwürfigkeitstendenzen bei sich und fragte ihren Partner wegen Lappalien um Erlaubnis (ebd. 16-19). Woher stammt diese Nachgiebigkeit? Aus der Familie? Aus der Imitation der Beziehung zwischen Mutter und Vater? Aus der Beziehung zwischen Tochter und Vater, der sie ebenfalls schon unterdrückte, weil er auf sie eifersüchtig war?

Der Vater von Simone de Beauvoir unterstützte das intellektuelle Leben seiner Tochter verbal, protestierte aber wütend, wenn sie nichts als Bücher im Kopf hatte (ebd. 121). Dowling erwähnt Hortense Calisher, die ihrem Vater anvertraute, Schriftstellerin werden zu wollen. Er antwortete, daß er das auch gewollt habe, man aber vom Geschichtenschreiben nicht leben könne. Hortense durfte nicht wagen, Erfolg zu haben, wo ihr Vater versagt hatte (ebd. 122). Schon das kleine Mädchen hörte von den Eltern, daß es unvorteilhaft ist, mit Männern zu konkurrieren, daß die Jungen sie in dem Fall erotisch nicht attraktiv finden würden. Es gibt Väter, die ihre Töchter auch sexuell anziehend finden und sich ihnen in eindeutiger Weise nähern. Sie sichern sich ab, indem sie der Tochter einreden, sie sei nicht hübsch und sollte sich lieber zu Hause verstecken.

Der Untertitel von Dowlings Buch »Die heimliche Angst der Frauen vor der Unabhängigkeit« ist mißverständlich. Eher ist es die verdrängte Angst vor der haßerfüllten Gewalt und der Eifersucht der Männer. Wenn tatsächlich die Väter so repressiv sind, dann muß es nicht verwundern, wenn die Frau diese Angst verdrängt und sich später, aus ihr unbegreiflichen Gründen, nicht zutraut, mit der expansiven Eifersucht der Männer fertig zu werden. Als kleines Mädchen konnte sie sich dieser massiven Entmutigung, die im Grunde eine Form von Kindesmißhandlung, jedenfalls Behinderung war, nicht erwehren. Sie wollte sich die »Liebe« ihres eifersüchtigen Vaters ja unter allen Umständen erhalten.

Es ist unangebracht, Männer in Schutz zu nehmen. Ihre Eifersucht ist eine Form von Gewalt. Weil Selbstwahrnehmung und Erschütterung fehlen, richtet sich der Affekt gegen die Frau. Dowling äußerte sich vorsichtig, vielleicht beschönigend. Ihre Analyse der männlichen Eifersucht macht vor den entscheidenden Konsequenzen halt. Sie meint, daß Frauen »glauben«, ihr beruflicher Erfolg gefährde die Beziehung (ebd. 168 ff.). Es ist aber so. Jede ehrgeizige Frau mit glänzenden Leistungen gilt Männern als abnorm. Sie wird isoliert. Frauen müssen ihren Willen zum Erfolg verbergen, nur der Mann darf sich phallisch demonstrieren. Dowling meint, daß Frauen sich verkleinern, um sich zu beweisen, daß sie als Frauen noch richtig sind. Meiner Erfahrung nach bleiben sie unter ihrem Leistungsniveau, weil der eifersüchtige Haß der Männer sie real gefährdet. Wenn Frauen diese Angst nicht hätten, wären sie noch schutzloser. Von wem soll die starke, erfolgreiche Frau Anerkennung bekommen? Ausgerechnet von ihm, der schwach und ohnmächtig zusieht, wie sie Aufgaben anpackt, denen er sich nicht gewachsen fühlt? »Frauen haben die Männer an einer sehr empfindlichen Stelle getroffen. An ihrem Überlegenheitsgefühl. Ihre Zukunftsgarantie auf die Ernährerrolle und ihre Bedeutung als Krisenmanager ist in dem Augenblick wertlos, in dem Frauen unabhängig von ihnen werden. Mögen sie sich noch so irren, keiner der Männer zweifelt daran, daß er beurteilen und bewerten kann, was es mit der Frauenbewegung auf sich hat. Ihre Haltung gegenüber der Emanzipation ist die des Lehrers gegenüber seiner Klasse« (Mitscherlich/Dierichs, 272 f.).

In einem Frauen-Handlexikon ist die Aufgabe der Emanzipation des Mannes so formuliert: »Befreiung von den Zwängen der eigenen Geschlechterrolle, Abkehr vom Ideal männlicher Stärke, die auf Leistung und Gefühlskontrolle beruht, und eine Kritik der Verbindung von männlicher Sexualität und Gewalt.« Das genügt nicht. Leistung erbringt der Mann nicht ohne die Unterstützung der Frau. Zur Abkehr vom Stärkeideal gehört das Eingeständnis dieser fundamentalen Schwäche. Hinter der Gewalt des Mannes lauert seine Frauensucht, sein Schweigen und seine Kraftlosigkeit. Um sich zu emanzipieren, muß er die Eifersucht auf die starke Frau durchstehen, seine damit verbundenen Selbstzweifel und seine Angst durcharbeiten.

In dem Sammelband »Eifersucht« untersucht Ernest Bornemann die historischen Grundlagen des Patriarchats. Eifersucht sei der sexuelle Niederschlag davon, daß die Frau zum Privatei-gentum des Mannes gehört. Sie war die kindererzeugende Ware. Bevor Männer der eigenen Beteiligung an der Produktion des Nachwuchses gewahr wurden, erschien sie ihnen wie ein perpe-tuum mobile. Danach stellten sie Ansprüche auf ihr »Produkt« und wollten vor allem ihre Töchter fortan für sich. Später ver-kauften sie die Töchter als Arbeitskräfte an die Sippe des Bräuti-gams der Tochter, die dem Vater den Verlust an Arbeitskraft entgelten mußte. Weil die Frau Eigentum des Mannes war, emp-fand er ihren Ehebruch als Diebstahl. Seine Eifersucht war das Sich-gegen-den-Diebstahl-Wehren. Frauen wurden auch unter Gewaltanwendung geraubt oder regelrecht gekauft. Was lernen wir daraus?

Daß der Mann sich die unerträgliche Eifersucht ersparte, in-dem er die Frau wie eine Ware behandelte und einsperrte. Eine eingesperrte Frau bleibt erhalten und unveränderlich. Die Gleichberechtigungsanstrengungen der Frau wurden nicht als ihre Menschwerdung, sondern als Verdinglichung und Degra-dierung des Mannes empfunden. Ist die Emanzipation, durch die Frau, vollzogen, dann merkt der Mann, daß Befreiung möglich ist. Erst dadurch wird dem konservativen Mann Entwicklung er-fahr- und denkbar. Der Ängstliche verdrängt diese Gedanken und rationalisiert die Emanzipation als expansive Untreue.

Welche Aktivität der Frau ging der expansiven Eifersucht des Mannes voraus? War es die erfolgreiche Anstrengung, sich von ihm nicht länger bestimmen zu lassen? War es die Kraft, sich ihm zu verweigern? War es ihr Streik? Ihre Expansion? Ihre Ände-rung der Rollenfixierungen? Ihre Solidarisierung mit anderen Frauen? Ganz sicher haben diese weiblichen Initiativen die ex-pansive Eifersucht des Mannes ausgelöst.

Eine Stärke der Frau wurde noch nicht erwähnt: der Ehrgeiz. Die anmutige Frau, die ihrem Mann Kinder zur Welt bringt, ihn pflegt und sich des Nachwuchses annimmt, die Frau, die kocht, wäscht und aufräumt, die Beziehungen aller Mitglieder der Fa-milie sorgsam im Auge behält, Streitigkeiten beilegt, dabei lä-chelnd und sympathisch zuhört, macht ihren Mann nicht eifersüchtig. Ein einsamer Sonderling wie Friedrich Nietzsche, der eine Liebesbeziehung und weibliche Hilfe entbehrte, schrieb: »Alles am Weibe ist ein Rätsel, und alles am Weibe hat eine Lösung; sie heißt Schwangerschaft« (Also sprach Zarathustra, 70). Der dicke Bauch während der Schwangerschaft, die Ödeme in Beinen und Füßen, die Schmerzen und der Blutstrom beim Geburtsakt, die ermüdenden Aufgaben der Kinderpflege ersparen dem Manne die Eifersucht. Expansiven Ehrgeiz auf anderen sozialen Feldern kann diese Frau nicht entwickeln, und das, meint Susan Brownmiller in ihrem Buch »Weiblichkeit« (227 ff.), ist eine der Vorbedingungen für die Herrschaft des Mannes. Brownmiller sieht im fehlenden Ehrgeiz den ideologischen Überbau der Rolle der Frau. Männer entschieden, daß es zum biologischen Wesen der Frau gehört, die Kinder zu übernehmen. Sie verboten ihr seit jeher streng, sich dem Kultivieren von Land, dem Aufbau fester Siedlungen usw. zuzuwenden. Sie okkupierten Produktionsmittel und besetzten gesellschaftliche Machtpositionen. Um diese Ungerechtigkeiten abzusichern, erfanden sie das Ideal der Mutterschaft. Dazu gehören die Kindererziehung und Haushaltspflichten. Männer reservierten den expansiven Ehrgeiz außerhalb des Hauses für sich. Weil sie keine freie Entscheidung für oder gegen die Mutterschaft hatte, bekam die Frau kein Recht auf freie Sexualität und Geburtenkontrolle. Statt dessen entwickelt sie Schuld- und Sinnlosigkeitsgefühle, wenn die Schwangerschaft ausbleibt, therapeutische Aktivitäten erfolglos bleiben oder ihre sexuelle Attraktivität nachläßt.

Christel Neusüß weist in »Die Kopfgeburten der Arbeiterbewegung oder die Genossin Luxemburg bringt alles durcheinander« darauf hin, daß auch Marx die Frau nicht ehrgeizig in die Geschäfte der Männer eingreifen lassen wollte. Für ihn war einzig Lohnarbeit produktiv, Frauenarbeit unproduktiv. Alle mütterlichen Tätigkeiten des Nährens, Wohnens, Zuhörens, Schlichtens, Einfühlens und Pflegens sind nach Neusüß für die marxistischen Theoretiker nicht eigentlich produktiv.

Eingangs sprach ich von einem Ideal- und einem Gegenselbstbildnis der Männer. Brownmiller belegt, daß für die Frau zwei entsprechende antagonistische Bilder entworfen wurden. Idealbild ist die Mutter Maria. Sie ist zur Mutterschaft fähig, ohne durch sexuelle Aktivität, Begierden und Besitzansprüche »befleckt« zu werden. Außerdem ist sie sanft, barmherzig, bescheiden und demütig.

Auch Freud, so Brownmiller, war klar, daß Ehe und Mutterschaft Ganztagsbeschäftigungen zu sein haben. Erfüllung und befreite Sexualität, meinte er, gebe es nur in Vagina und Uterus, nicht an der angeblich unreifen Klitoris. Moderne Idealbilder der Frau, meint Brownmiller, sind die »Kulissenmutter«, die bescheiden im Hintergrund bleibt und die Karriere ihres Mannes und ihrer Kinder unterstützt, und die »Berufswitwe«, die bemüht ist, der Arbeit ihres Mannes in der Öffentlichkeit Geltung zu verschaffen.

Früh schon wurde das Gegenbild geschaffen, etwa im Volksmärchen des 18. Jahrhunderts. Die Gebrüder Grimm verabscheuten die lieblose Stiefmutter, den Inbegriff der bösen Nicht-Mutter als egoistischer, von anmaßendem Ehrgeiz beherrschter Frau. Diese denkt nicht daran, mütterliche Pflichten zu erfüllen. Sie schmiedet im Gegenteil Pläne, sich der Kinder, die nicht von ihr sind, zu entledigen. Von ihr zur furchteinflößenden Hexe war kein weiter Weg. Die Gegenbilder der Frauen waren je zeitgemäß. Es gab die tyrannische Matriarchin, die – überfürsorglich – ihre Kinder dominierte und erdrückte, und das Mannweib, das es dem Manne an Fähigkeiten gleichtat, dadurch aber seiner wahren Bestimmung entging. Heute ist es die Emanze, die man als widernatürlich hinstellt, die tüchtige, selbstbewußte, herausragende, männerkritische Frau, die selbst von ihren Geschlechtsgenossinnen am ehesten akzeptiert wird, wenn sie irgendwann das Bekenntnis ablegt, daß Ehe und Mutterschaft eigentlich doch viel schöner gewesen wären.

Carol Gilligan beschreibt die zwiespältigen Gefühle und Gewissensbisse der Frau, die das Gegenbild verkörpert und dem Ideal widerspricht. Sie bekommt Angst, weil sie den höchsten weiblichen Wert, Bindung an einen Mann, verletzt und weil sie dem Manne nicht »treu« ist.

Wir erleben gegenwärtig mögliche Ansätze einer von der Frauenbewegung inspirierten Umwälzung. Sie wird von Frauen getragen, die ehrgeizig am Wettbewerb der Männer teilnehmen, mit ganzer Kraft und Hingabe *andere* menschliche Aufgaben erfüllen und in Literatur, Wissenschaft und Kunst Anerkennung finden. Je mehr sie auf Mutter- und Therapeutinnenschaft verzichten, desto eifersüchtiger werden die Männer. Ihre Eifersucht ist als Antwort auf den fraulichen Ehrgeiz eine konservative Emotion, die nur durch die Angst der Männer zu erklären ist, dem männlichen Bild des autonomen, tüchtigen, selbstbewußten, starken, der Frau überlegenen Mannes nicht zu entsprechen.

9. Die Entdeckung der personellen Eifersucht des Mannes

Obwohl ich die expansive neben der sexuellen Eifersucht des Mannes erkannt hatte, war ich mit diesem Ergebnis meines Nachdenkens noch nicht zufrieden. Es gibt drei Spielarten männlicher Eifersucht. Die sexuelle Eifersucht ist klar umrissen, sie wird erwartet und mannhaft agiert. Die expansive Eifersucht ist historisch wesentlich jünger. Sie wird heftig bestritten, also wahrgenommen. Die personelle Eifersucht ist Utopie und kann noch nicht wahrgenommen werden. Männer wissen mit diesem Begriff nichts anzufangen.

Mit sexueller Eifersucht reagiert der Mann auf die sexuelle Untreue der Frau. Tiefenpsychologen haben immer nur diese Art Eifersucht untersucht. Expansive Eifersucht kennen wir, seit es ehrgeizige, expansive Frauen gibt, die mit Männern konkurrieren. Je erfolgreicher die Frau, desto eifersüchtiger der Mann. Personelle Eifersucht wird sich in dem Maße regen, wie Männer versuchen, weiblicher zu werden. Konsequenzen aus feministischen Analysen könnten sie nötigen, die Frau als Menschen wahrzunehmen. Die personelle Eifersucht als Eifersucht auf die weiblichen Stärken der Frau kann heute noch kaum aufkommen. Nur irritierbare und erschütterungsfähige Männer haben die Aussicht, sie an sich wahrzunehmen, denn nur sie erleben eine produktive Verunsicherung. Die personelle Eifersucht könnte sich auf das Einfühlungsvermögen der Frau beziehen, auf ihre Beziehungsfähigkeit, auf die Art, wie Menschen ihr zuhören, die Häufigkeit, mit der sie auf sie zugehen, und auf die Ausdauer, mit der sie als Therapeutin umworben wird. Sie kann sich an ihrer Liebenswürdigkeit entzünden, die der Mann nicht genießen kann, aber bei anderen wahrnimmt. Als ich im Laufe mehrerer Jahre die Nähefähigkeit der Frauen entdeckte, bekam ich die Antwort auf meine Frage, wofür Frauen eigentlich so viel Anerkennung bekommen. Als wir im kleinen Kreise über Eifersucht sprachen, nahm ein Mann dazu Stellung: »Wenn ich von diesen Arten der Eifersucht höre, werde ich kämpferisch und depressiv. Ich war erst auf ehemalige Freunde meiner Frau eifersüchtig. Dann auf ihre Frauengruppe. Ich habe ihr nicht gesagt, daß das mit der Frauengruppe zusammenhing. Ich hatte Angst, nicht mehr der zentrale Punkt zu sein, mit dem sie ihre Probleme diskutiert. Sie sagte mir, daß es sich dabei um Probleme handelt, die sie mit mir nicht besprechen kann, aber dort in der Frauengruppe. Sie betreffen dich nicht einmal, fügte sie hinzu, sie gehen dich eigentlich gar nichts an. Das gab mir den größten Stich, und ich bekam Angst bis zur Panik. Ich erhole mich davon nicht einmal mehr, wenn ich mit Kollegen saufen gehe.«

In Büchern von Männern fand ich noch nie etwas über personelle Eifersucht. Die Lektüre des Buches »Die Stärke weiblicher Schwäche« von Jean Baker-Miller gab mir wenigstens Anhaltspunkte dafür, sie indirekt zu erschließen und ihre Inhalte auszumachen. Eifersüchtig auf die Frau?

Eifersucht zum Beispiel auf die Fähigkeit, Hilflosigkeit und Verletzlichkeit auszudrücken. Die Frau holt sich eher Hilfe als der Mann.

Eifersucht auf die Fähigkeit, das, was sie sich noch nicht zutraut, als Quelle von Wachstum und nicht als Makel und Angst zu erleben. Männer pochen immer auf ihr Können, auf ihre Stärken, und sehen in ihren Schwächen keine Wachstumsmöglichkeiten.

Eifersucht auf die sogenannte weibliche Intuition, die Fähigkeit, sich den Stimmungen anderer anzupassen und diese vorauszufühlen.

Eifersucht auf die Fähigkeit, kooperativ an der Entwicklung anderer teilzunehmen, anstatt zu konkurrieren, einen Sinn für körperliches, geistiges und seelisches Wachstum zu entwickeln.

Eifersucht auf die Kraft der Frau, andere Menschen zu unterstützen und sich dabei selber auch zu entwickeln.

Eifersucht auf die Einsicht, durch unablässige Geduld, unendliches Bemühen und durch das Aushalten unvermeidlicher Rückschläge kreativer zu werden (a.a.O. 51–77 passim).

Es gibt genug Anlaß zur personellen Eifersucht, genug zum Vergleich mit dem in der patriarchalischen Kultur mißachteten und entwerteten Wesen der Frau. Angst ist die Vorwegnahme einer negativen Beurteilung seitens wertvoller Bezugspersonen (H. S. Sullivan), ein Signal für die Notwendigkeit des Schutzes vor Bedrohungen unseres zwischenmenschlichen Lebens. Männliche personelle Eifersucht ist die Vorwegnahme einer positiven Beurteilung der Frau durch Dritte, vom Mann als wertvoll erlebte Bezugspersonen. Sie könnte ein Signal werden, das uns Männer auf die Notwendigkeit einer realistischeren Selbsteinschätzung hinweist, auf die Tatsache, daß wir als Männer nicht produktiv sind, weil uns wertvolle Eigenschaften, Gefühle, Werte und Haltungen fehlen. Die Tatsache, daß Männer von weiblichen Kräften Gebrauch machen, zeigt, daß sie sie spüren. Entsprechende Mangelgefühle aber gelangen selten als Eifersucht ins Bewußtsein. Wir müssen sie indirekt erschließen aus dem Widerstand gegen die Würdigung weiblicher Werte, aus dem Abscheu gegen die Forderung, von Frauen zu lernen. Im Erlebnis des Leidensdrucks, dem Mangel als Entzug der weiblichen Zuwendung kann Eifersucht bewußt werden. Wenn der Mann seine Einsamkeit bemerkt, kann er eventuell die Nähefähigkeit der Frau entdecken.

Wir kennen die Aktivitäten der Männer, mit Hilfe derer sie (noch) der personellen Eifersucht entgehen: Wettbewerbe, Rivalitäten, Hierarchiebildungen in privaten, sportlichen, technischen, künstlerischen, literarischen, politischen und militärischen Bereichen. Einer muß immer stärker, besser, schneller, klüger oder einfach wortgewandter sein als der andere, dann fühlt er sich einigermaßen gut. Nur sein Rang zählt, die Zahl derer, denen er sich überlegen fühlt, nicht wirklich die Leistung. Regressive Vergleiche dieser Art erlauben, Eifersucht und Entwicklung zu vernachlässigen. Die Verdrängung personeller Eifersucht blockiert allerdings tieferliegende schöpferische Kräfte.

132

Beim Eingeständnis ihres Defizits gegenüber den personellen Stärken der Frau ist nicht nur mit dem Entzug irrealer Größengefühle zu rechnen, vielmehr droht der totale Zusammenbruch: Napoleon oder eine Laus, ganz kräftig und allen gewachsen oder völlig verwirrt und desorientiert. Maßvolle Zwischenorientierungen fehlen, weil der Mann sich ununterbrochen Kraft vorgaukelt.

Wir hatten begonnen, die Eifersucht des Mannes indirekt zu erschließen. Er gibt der Frau für ihre Entwicklung keine Anerkennung. Er freut sich nicht, wenn sie aktiv ist, etwas erreicht, neue Freunde gewinnt. Anstatt sie zu bestätigen, tut er so, als sei das alles nicht der Rede wert. Er empfindet sogar, daß sie das alles *gegen* ihn unternimmt. Wo aber berechtigte Bestätigung und Unterstützung ausbleiben, ist Eifersucht im Spiel. Der Mann kann sich nicht eingestehen, daß es Bereiche gibt, in denen die Frau etwas ohne ihn schafft, vielleicht sogar ungestörter und besser. Er will beteiligt werden, will die Anerkennung auch für ihre Erfolge. Sowohl sein hartnäckiges Schweigen als auch der von ihm unvermittelt und unsachlich angezettelte Streit weisen indirekt auf seine personelle Eifersucht hin.

Sigmund Freud behauptete, Eifersucht beruhe auf einer biologischen Grundlage, entstehe durch Verzicht auf Betätigung von Sexual- und Aggressionstrieb. Sexuelle Traumata, frühkindliche Versagungserlebnisse auf dem Boden der Ödipuskonstellation seien verantwortlich. Der Knabe sei auf seinen Vater eifersüchtig, weil dieser seinem sexuellen Begehren der Mutter im Wege stehe. Dazu komme die Kastrationsangst des Mannes, die – aus dem Penisneid der Frau erwachsen – aggressiv kompensiert werde.

Margarete Mitscherlich schreibt in »Männer«: »Dem Psychoanalytiker sind natürlich auch Neidgefühle des Mannes auf die Frau gut bekannt, z. B. sein Gebär- und Brustneid. Sich aber mit seinem Neid auf die Frauen zu konfrontieren, fällt dem Mann in einer Welt, in der er gelernt hat, die Frauen als minderwertig anzusehen, wesentlich schwerer als der Frau. Er wehrt sich deswegen gegen seine aus der frühen Kindheit stammenden Angst-,

Wut- und Neidgefühle der Frau gegenüber je nach Jahrhundert, indem er sie zur Hexe macht, als emotional und beschränkt... oder als besonders narzißtisch, um sich selbst und ihre ganz und gar unbedeutenden Belange kreisend, ansieht« (a.a.O. 18). Helga Dierichs fragt zusätzlich, ob die Ablehnung des Penis und die Projektion des Neids auf weibliche primäre und sekundäre Geschlechtsmerkmale das Seelenleben des Mannes und seine Theorien über die Frau bestimmen (ebd 287). Phyllis Chesler vermutet einen Uterusneid des Mannes. In »Über Männer« weist sie die Penisneidtheorie zurück, sieht beim Mann – zutreffend – ein intensives Verlangen danach, Leben zu verleihen und zu erhalten. Der Mann verdränge dieses ebenso wie seine diesbezügliche Eifersucht auf die Frau. Warum aber sollen wir die Bereitschaft des Mannes, durch destruktive gesellschaftliche Unternehmungen zahllose Menschen zu opfern, Uterusneid nennen? »Die männliche Naturwissenschaft hat ihre Wurzeln zum Teil in dem Uterusneid der Männer, in ihrem Verlangen, etwas Wunderbares aus männlichem Erfindungsgeist zu schaffen. Männer haben uns jedoch mit ihrer Naturwissenschaft bis an die Grenze einer vollständigen Zerstörung der Menschheit, unserer Fortpflanzungsfähigkeit und unseres Planeten gebracht. Verdrängter und unaufgelöster Uterusneid ist eine gefährliche Gefühlsregung« (ebd. 59). Alle diese Deutungen, Penisneid, Kastrationsangst, Gebär-, Brust- oder Uterusneid, enthalten sexistische Mißverständnisse. Emotionale und soziale Faktoren müssen berücksichtigt werden. Die Sturheit, mit der Männer es ablehnen, ihre Rolle aufzugeben, ist ausschlaggebend. Widerstände gegen Umorientierungen der eigenen Identität machen es viel schwerer, personelle Traumata zu erinnern als sexuelle. Es war traumatisch für Männer, daß sie daran gehindert wurden, wie Mädchen zu sein, friedlich mit Mädchen zu spielen, anstatt mit Jungen zu wetteifern und sich gegenseitig zu bekämpfen. Mit Mädchen verglichen zu werden, charakterlich, war traumatisch, also sprach man auch möglichst wenig mit ihnen. Wer es dennoch tat, wurde als Weiberheld verschrieen. Psychoanalysen zeigen, daß wir die Vorgänge, die sich zwischen Vater und Mutter, zwischen Mädchen und Jungen abspielten, nicht registriert haben. Besonders solche, die männliche Schwächen und weibliche Stärken, also die Personhaftigkeit der Geschlechter betrafen.

Es bedarf einer personellen, keiner sexuellen Revolution, für Männer und für Frauen. In der Frauenbewegung wurde die Initiative ergriffen. Weibliche Identität hat sich zum Teil verändert. Unser männlicher Beitrag erforderte eine sanfte Revolution, eine zarte, passive, geduldige. Ohne schnelle, brutale und aggressive Tönungen. Diese Revolution wird durch ein Treueversprechen verhindert, das Mann und Frau sich geben, wenn sie zusammengehen. Es liegt tiefer als die Verpflichtung zur sexuellen Treue: im stillschweigenden Übereinkommen, miteinander zu leben, ohne daß einer der beiden den personellen Status quo ändert. Vor allem der Mann besteht auf der personellen Treue. Darauf, daß die Frau ihn nicht leistungsmäßig überflügelt, und auf der Zusicherung, daß sie ihn nicht auffordert, unmännlich, also weiblich zu reagieren. Nicht nur die starke, expansive Frau ist untreu, sondern vor allem die, die auch noch von ihm Entwicklung fordert. Jede Übertretung der uneingestandenen personellen Keuschheitsregel wird mindestens so unnachsichtig geahndet wie sexuelle Untreue. Der latent eifersüchtige Mann und seine *treue* Frau leben in einer Stimmung konventioneller Lethargie. Die Reduktion personeller Entwicklung gerät zur Tradition einer gegenseitigen Beschwichtigung. Sie üben Toleranz, indem sie sich gegenseitig schonen und sich mit dem begnügen, was sie sind. Betrachtet man die weltanschauliche Grundlage ihres partnerschaftlichen Lebens, dann erkennt man religiöse Motive: Bescheidenheit und Demut. Ihre Keuschheit ist Stagnation. Personelle Treue gibt sich dadurch zu erkennen, daß die Frau den Mann idealisiert und ihn zu ihrem Lebensmittelpunkt erklärt. Furchtsam achtet sie stets darauf, wie es ihm geht, und ahnt voraus, was sie ihm nicht zumuten darf. Allenfalls zieht sie die weiblichen Register: stützen, beruhigen und kokettieren. Auf diese Weise kann sie ihm vielleicht am ehesten etwas unterschmuggeln, ohne daß er es merkt. Zur sexuellen Eifersucht gehören Trauergefühle, seelische Schmerzen, Gefühle der Kränkung und Feindseligkeit. Die Trauerarbeit fehlt in der personellen Eifersucht, weil der Mann den Fehler bei der Frau sucht. Sie erscheint ihm falsch, aufsässig und widernatürlich, wenn sie *untreu* wird. Schmerzen darüber verdrängt er. Es bleibt eine narzißtische Kränkung. Sie bildet den Kern der männlichen personellen Eifersucht. Feindselige Gefühle gegenüber der Frau überlagern außerdem jeden Ansatz zur Selbstkritik. Der Mann fühlt sich betrogen. Bricht die Frau dennoch das Treueversprechen, indem sie sich entwickelt, dann beschwert er sich nicht nur einfach darüber. Ihm werden ganz plötzlich seine Phantasien und Vorsätze, seine verschobenen und verborgenen Pläne, Sehnsüchte und der Wille bewußt, in dieser Welt etwas zu genießen oder zu bewegen. Seinen Aktionismus innerhalb der eingefahrenen oder vorgeschriebenen Bahnen erlebt er nicht mehr schöpferisch initiativ. Angesichts der sich befreienden Frau wird ihm der eigene Erfolg suspekt. Er ärgert sich darüber, daß er so häufig auf Expansion verzichtet hat und immer *treu* war. Nun fühlt er sich doppelt betrogen, durch ihre Aktivität und durch seine Apathie. Wenn er daraufhin die Frau behindert, beruhigt er die Gewissensbisse wegen seiner Passivität. Jemanden stören kann auch ausfüllen. Seine weiterhin *untreue* Frau stößt ihn irgendwann auf die Notwendigkeit, auch über sein Gefühlsleben und seine Perspektiven zu sprechen. Was er sieht, wenn er sich in ihr spiegelt, erscheint als Zu-Mutung.

Ich möchte nochmals daran erinnern, daß ich eine Utopie entwerfe. Der Mann von heute mag noch so konsequent angesprochen werden, er zweifelt nicht an sich als Person. Vielleicht stellt er die Vermutung an, daß die »untreue« Frau ihn nicht mehr liebt. Obwohl er doch genauso ist wie früher. Ja, eben, das mißbilligt diese Frau. Wenn er nicht gerade versucht, sie als »verrückt« hinzustellen, versucht er ihr Entwicklung auszureden. Er bietet ihr als Ausgleich Verwöhnung an, Geschenke, Reisen, Sexualität, süßes Nichtstun. Wenn alle Versuche, sie zum Verzicht auf Emanzipation zu verführen, scheitern, beginnt er ihr Gesetze zu machen, damit sie stillhält. Personell eifersüchtige Männer verstoßen gegen das Gemeinschaftsgefühl und gegen die Ethik

der gegenseitigen Solidarität. Ihre Eifersucht liegt auf der Un-
nützlichkeitsseite des Lebens.

Jede Liebe muß mit Eifersucht rechnen. Nehmen wir diese als
Signal für eine soziale, das heißt auf beide bezogene Fehlent-
wicklung ernst, dann können wir etwas gegen sie unternehmen.
Ein Mensch, der nie personell eifersüchtig war, wird noch keine
Entwicklung erlebt haben. Wer seine Schmerzen nicht unter-
drückt, kann versuchen, der zu werden, der er noch nicht ist.

10. Vorbemerkung zum Thema Schweigen

Ich bin ein Mann, geboren und aufgewachsen in Deutschland, und ich habe den Krieg erlebt. Er begann in meinem Geburtsjahr und endete, als ich sieben war. Eine Revolution habe ich nicht miterlebt. Die einzigen »*revolutionären*« Akte im kleinen, deren Zeuge ich wurde, geschahen, als jemand etwas sagte, an ein Tabu rührte. Man reagierte unwillig und suchte den Sprechenden am Reden zu hindern. Es hieß, durch sein Sprechen entstünden die Probleme eigentlich erst.

Ich selbst sprach nicht oft. Meist gab ich meine Stimme ab wie der bequeme Schweiger bei der Wahl. Als Kind, in den ersten prägenden Jahren meines Lebens, den Kriegs- und Hungerjahren, in denen Deutschland litt, aber nicht trauerte, bekam ich zu wenig Gelegenheit zum Sprechen. Wenn nur jemand dagewesen wäre, der mich gefragt hätte, warum ich traurig bin! Hilflose Menschen, die nicht fragten, verurteilten mich zum Schweigen. Ohne gefragt worden zu sein, wagte ich nicht zu sprechen. Man hatte mir das Sprechen zwar nicht ausdrücklich verboten, aber ich hielt mich an die Maximen des Verschweigens. Der Mut, über mich zu sprechen, fehlte mir besonders. Manchmal saß ich einfach so dabei, wenn meine Mutter resignierte. Dann stand ich erregt auf und preßte die Hände zusammen. Oft lief ich erschreckt in der Wohnung umher. Meine Mutter sah im Leben keinen Sinn mehr. Niemand außer mir wußte davon. Ich erstarrte vor Angst. Es war keine körperliche Attacke, aber ich fühlte mich wie vor den Kopf geschlagen. Mutter lag mir mehr auf als am Herzen. Es schmerzte mich und drückte mir die Kehle zu. Ich konnte nicht einmal auf meinen Vater hoffen. Er war nicht da und kam nie zur rechten Zeit. Er sprach mit mir nie wirklich. Es erscheint mir nicht sinnvoll, meinen Eltern Vorwürfe dafür zu machen, daß sie das Sprechen nicht gelernt hatten. Es wird ja nirgends gelehrt. Bisher hatte die Mutter immer geholfen, jetzt verzweifelte sie am Leben. Etwas Bedrohliches breitete sich in mir aus und lähmte mich. Wie könnte ich weiterleben ohne meine Mutter? Auch später sprach niemand mit mir über diese fürchterlichen Stunden. Mein Leiden blieb unbetrauert. Heute weiß ich, daß ich mir damals nur durch Verdrängung helfen konnte. Schreckerstarrt kann man es nicht lange aushalten. Es wurde mein geheimer Lebensplan, das wirkliche Sprechen über mich und meine komplizierten Gefühle aufzugeben. Dafür redete ich. Dabei hörten sie mir manchmal zu.

In der Mythologie, auch in lyrischen Gedichten wird das Sprechen durch Lieben und Leben, das Schweigen durch Beziehungslosigkeit, das Nichts und den Tod symbolisiert. Meine Kindheitserinnerung spiegelt dieses Schweigen. Ich war acht oder zehn Jahre alt, vielleicht jünger.

Heute versucht man, auf die Entfremdung der Menschen voneinander, auf die Technisierung, Bürokratie und die Einsamkeit mit einer verstärkten Betonung der Gefühle zu reagieren. Ein gekünstelter Aufbau von Gefühlen jedoch beseitigt keine seelischen und sprachlichen Barrikaden. Uns beherrschen Sprachzweifel. Angesichts sozialer Entfremdung werden die Menschen immer skeptischer, mit bloßen Worten Verbindungen schaffen zu können. Bewegungen gegen den Gebrauch der Vernunft und gegen die Notwendigkeit breiter Aufklärung verstärken die Sprechhemmungen. Eine große Masse materialistisch und ökonomisch orientierter, emotional verelendeter Menschen hat sich mit der alltäglichen Gefühllosigkeit längst abgefunden. Auch die, die ihr verzweifelt zu entgehen suchen, nehmen selten die Anstrengungen eines verbindlichen Dialogs auf sich. Es gilt als modern, auf pathetische Weise Gesundheit und Glück zu suchen. Mit Hilfe bloßer Berührungen etwa, magisch herbeigeführter Körpersensationen ohne wärmende Zärtlichkeit und echte Anteilnahme. Man begibt sich offensichtlich auf den Boden irrealer Heilserwartungen.

Hinter der auflebenden Neo-Romantik steckt der brutale

männliche Zeitgeist. Er emotionalisiert sich verkrampft bei Menschen, die nur noch die bloße Sehnsucht nach Verbundenheit zulassen. Als Alternative zur männlichen Gefühlsverhaltenheit und Beherrschung erscheint die permanente Regression in die falschen Gefühle. Selbst bemühte Zeitgenossen sprechen im Zusammenhang mit Liebe von *wortlosen Bereichen,* die lediglich erfüllt werden können (vgl. Gambaroff, a. a. O. 57). Viele Äußerungen erinnern mich an die Sprachphobie des Romantikers Ludwig Tieck (1773–1853), der meinte, Liebe sei nicht in Worte zu fassen. Seine Verse stehen für die Intentionen seiner Epoche, sie enthalten Plädoyers zum Gebrauch von Rätselsprachen, die jeden Menschen nur bei sich selbst aufbrechen und ankommen lassen:

>»Liebe denkt in süßen Tönen
>denn Gedanken stehn zu fern
>Nur in Tönen mag sie gern
>Alles, was sie will, verschönen.«

Geschäftsmäßige, rationalistische Vernünftelei und Schwelgereien in zweifelhaften, angeblich unaussprechlichen Gefühlen entwachsen derselben Wurzel, der Angst vor Nähe. Man versichert sich, daß man nahe genug sei. Aufgehobensein wird ersehnt, aber nicht geschaffen. Sehnsucht als Sucht, sich nur noch zu sehnen, die Distanz nicht zu überbrücken, ist Resignation. Allein das Unerreichbare, im Unendlichen Liegende scheint noch erstrebenswert. Im Endlichen verfehlen sich die, die ehrlich gemeinte Sprechangebote ablehnen. Erich Fried sieht eine Verwandtschaft von Nähephobie und Liebesunfähigkeit. In seinem Gedicht »Nähe« deutet er an, wie wir aneinander vorbeigehen, wenn wir der Sprache nichts mehr zutrauen:

>»Wenn ich bei dir bin
>ist vieles voller Abschied
>und wenn ich ohne dich bin
>voller Nähe und Wärme zu dir«
>(Liebesgedichte, 81)

Ebenfalls auf der Spur der Liebe, gibt der Psychiater Ronald Laing Dialoge partnerschaftlicher Ignoranz wieder, die er als extreme Störungen der Kommunikation kennzeichnet (vgl. R. Laing, Liebst Du mich?).

Wir leben nicht in einer Zeit zufälligen zwischenmenschlichen Schweigens, sondern in der Anfangsphase des Austauschs. Denn wir wagen es, zum ersten Mal, illusionslos und radikal an den Möglichkeiten der Verständigung zu zweifeln. Dazu gehört, daß wir die Verwöhnung in der Erziehung als Behinderung erkennen, weil sie Kindern den Eindruck vermittelt, Hilfe komme immer von anderen, auch wenn sie sie nicht erbaten.

Es heißt noch heute: »Reden ist Silber, Schweigen ist Gold«, und die Feinde der Wahrheit fügen hinzu: »Hättest du geschwiegen, wärest du ein Philosoph geblieben.«

Nun ist es ja zweifellos wichtig, manchmal zu schweigen. Leider tun die Leute es aber gerade dann, wenn gesprochen werden müßte. Unsere hektische, erfolgsmanische Zeit erlaubt uns nicht, vor dem Sprechen zu schweigen, um in Ruhe und besonnen zu überlegen. Sprechen und Schweigen werden nicht als wechselseitig einander vorbereitende und ergänzende Kommunikationsakte verstanden. Die Produktivität des Schweigens als Zuhören, Durcharbeiten und Denken ist in Vergessenheit geraten. Wir müßten sprechen, um zu erforschen, warum und wozu wir an den falschen Stellen schweigen.

Zwischen Männern und Frauen gibt es eine Fülle von gegenseitigen Beobachtungen, Wahrnehmungen und emotionalen Erkenntnissen, die niemals ausgesprochen werden, weil ein Gespräch darüber Ernsthaftigkeit und Kraft erfordert. Sprechen ist ein mühevoller, anstrengender, manchmal qualvoller Vorgang, nichts für Ungeduldige und Besetzte. Jedes ernsthafte Gespräch zöge außerdem dringlich weitere nach sich. Wenn wir beginnen, uns mitzuteilen, bemerken wir die Ausdehnung des Mitzuteilenden ins Unendliche. Wer etwas preisgibt, möchte mehr offenbaren. Schwierige Auseinandersetzungen fürchtet man, energische Streitgespräche werden vermieden und subtile Deutungen abgelehnt.

Jeder von uns hat in seinem Leben allmählich einen großen Schatz von individuellem Wissen über seine Nächsten gespeichert (vgl. Ortega y Gasset, Über die Liebe, 179 ff.). Er stammt aus der Kenntnis und dem intimen Umgang. Wir bewahren darüber Stillschweigen, weil die Formulierung unseres Wissens schwierig wäre, weil wir ursprünglich nicht vorhatten, etwas Derartiges mitzuteilen, und weil wir befürchten, andere damit zu verletzen. Wenn die schwer auszusprechenden Einsichten über unseren Freund oder die Freundin in uns emporsteigen, resignieren wir bald und schaffen entsprechende Tabus. Es fehlt nicht an Wissen, sondern an Mut, Geduld und Interesse, es auszusprechen und der Begutachtung des anderen vorzulegen. Wir nehmen uns selbst nicht ernst. Das Schweigen aber hat ernsthafte Folgen. Je mehr wir wissen und verschweigen, desto einsamer werden wir, weil wir alle nur verstohlen und zaghaft angedeuteten Empfindungen als Zeichen der Feindseligkeit gegenüber dem Nächsten mißverstehen. Vor allem die Frau hat über den Mann zu schweigen, obwohl sie viel über ihn weiß, was er nicht weiß. Wie immer der Niedere über den Höheren. Sie schweigt, weil sie seine aggressiven Reaktionen fürchtet. Deshalb wagt sie nicht einmal mehr zu fordern, daß der Mann sein Schweigen aufgibt. Immer spürt sie die Wahrheit über ihn, weil sie ihm dient, ihm unterstellt und seinen Ungerechtigkeiten ausgesetzt ist. Berechtigte Angst vor seiner Gewalt und vor der wütenden Reaktion des Durchschauten läßt die Frau die Tabus des Mannes bewahren. Dem Herrscher mutet man nicht die Offenlegung seiner Geheimnisse zu, dem Chauvinisten nicht seine Frauenverachtung. Schweigen ist eine hierarchische Kategorie, nach »oben« wird geschwiegen. Offen miteinander sprechen können nur gleichberechtigte, ähnlich kräftige Menschen. Auch unsere Menschenkenntnis macht an den Schranken der Hierarchie halt. Wir werden erst etwas wissen und unser Schweigen aufgeben, wenn wir keine Angst mehr vor der Bestrafung haben müssen. Das Mißtrauen gegenüber den Mächtigen, den Führern und Leitern und die Feindseligkeitserwartung bei der Entdeckung ihrer Geheimnisse sind realistisch. Männer aber, meist mächtiger als die Frauen, mit denen sie Umgang haben, haben Angst vor Nähe. Sie fürchten die Tuchfühlung beim schlichten gleichberechtigten Umgang. Allzu vieles Wissen über die Menschen prangern sie als unanständig an. Wer die Macht ausübt, will nichts über sich erfahren, weil er meint, alles zu wissen, was er wissen muß. Die Mächtigen sind die Gegner der Aufklärung und der Menschenkenntnis. Die Wahrheit zu sagen, Kenntnisse über den Menschen zu verbreiten bleibt eine revolutionäre Aufgabe.

Vor dem Schweigen der Ohnmächtigen war das der Mächtigen. Zuerst schweigt der Unterdrücker. Mich interessiert die private Dimension des männlichen Schweigens, durch die die öffentliche Volksverdummung ermöglicht wird. Ihr werde ich mich im nächsten Kapitel zuwenden.

In den »lyrischen Gedichten« läßt Goethe eine liebende Frau zu Wort kommen. Sie bittet ihren Gefährten um ein Zeichen:

> »Du siehst so ernst, Geliebter! Deinem Bilde
> von Marmor hier möcht ich Dich wohl vergleichen:
> wie dieser gibst Du mir kein Lebenszeichen;
> mit Dir verglichen zeigt der Stein sich milde.«

Nach männlichen Verlautbarungen wie dieser oder der folgenden von Heinrich Heine muß man lange suchen:

> »Man glaubt, daß ich mich gräme
> In bitterm Liebesleid
> Und endlich glaub ich es selber
> So gut wie andre Leut.
>
> Du kleine mit großen Augen
> Ich hab es Dir immer gesagt,
> Daß ich Dich unsäglich liebe,
> Die Liebe mein Herz zernagt.
>
> Doch nur in einsamer Kammer
> Sprach ich auf solche Art
> Und ach! ich hab immer geschwiegen
> In Deiner Gegenwart.

Da gab es böse Engel
Die hielten mir zu den Mund
Und ach! durch böse Engel
Bin ich so elend jetzund.«

Eine fremde Macht mußte es auch für Heine sein, die das Sprechen unterbindet. Männer haben das Schweigen nicht erfunden, aber sie müssen für ihr Schweigen die Verantwortung übernehmen. Sie reden unaufhörlich, kräftig und beeindruckend. Man muß nur den Fernseher anschalten, das Radio, ins Kino gehen, in die Kneipe, in die Versammlung. Redend verstecken sie sich. Als Politiker, Juristen, Militärs, als Lehrer, Professoren, Wissenschaftler, als Arbeiter, Studenten oder Therapeuten. Sie reden über die Frau, über die sie alles schon wissen, ohne je bei ihr nachgefragt zu haben. Sie reden für die Frau, weil sie ihr nicht zutrauen, für sich selbst zu sprechen. Und sie reden zur Frau, belehrend und besserwisserisch. Mit den Kindern reden sie unbeholfen, schulmeisterlich und beziehungslos. Das Gebirge des Schweigens über den Ängsten, Wünschen und Hoffnungen türmt sich immer höher. Schweigen war immer eher da als wir selbst. Wir sind in ein Schweigen hineingeworfen worden. Schweigend existiert die Welt. Am Anfang war das Schweigen, nicht das Wort. Jedes echte Gespräch ist ein revolutionärer Akt, jedes Sprechen eine Befreiung.

11. Männliches Schweigen

Ich will fünf Besonderheiten des männlichen Schweigens ansprechen: die Gefühlsverweigerung, verbunden mit dem Affekt, die Entwertung der Frau, das bloße Reden, das Nicht-Fragen und das Nicht-Zuhören.

1. Gefühlsverweigerung und Affekte

Es gilt als zeitgemäße Erkenntnis, daß Männer keine Gefühle zeigen. Gesagt heißt aber noch nicht verstanden oder gar verändert. Viele stellen sich das Sprechen zu leicht vor. Viele sprechen mit Affekten. Männer haben starke Gefühle. Ein Zehnjähriger sagte mir: »Wer zuerst schlägt, hat gewonnen.« Er war von Älteren geschlagen worden, hatte die Tränen verbissen und sich vorgenommen, beim nächsten Mal zuerst zu schlagen. Ein erwachsener Mann, mit einem Seitensprung seiner Frau konfrontiert, entdeckt aggressive Gefühle bei sich und spürt zum ersten Mal, daß er Racheimpulse gegenüber seiner Mutter belebt, die ihn in die Besenkammer gesperrt hatte. Dafür hatte er ihr den Tod gewünscht.

Ich vertraue darauf, daß es besser wäre, diese Affekte zu äußern, schon frühzeitig im Leben, ehe sie zum Charakterpanzer erstarren.

Jemand muß sie erschüttert anhören und auf sie reagieren. Im Alter von 21 Jahren schrieb Sartre an Simone Jolivet: »Wenn ich eine echte Empfindung habe, ein Gefühl, das ich für artikulierbar halte, bin ich absolut unfähig, es auszudrücken, entweder ich stammle, oder ich sage genau das Gegenteil von dem, was ich sagen wollte – oder ich drücke dieses Gefühl mit geschwollenen Sätzen aus, die nichts besagen –, oder aber, und das ist das häufigste, ich äußere gar nichts, ich fliehe vor jeder Äußerung: das ist das klügste! Im übrigen bin ich jetzt natürlich viel sturer, und ich bin nicht mehr so leicht zu erschüttern« (J. P. Sartre, Briefe, a.a.O. 10). Sigmund Freud setzte an den Beginn seiner Praxis das Postulat, der Psychoanalytiker sollte sich den Chirurgen zum Vorbild nehmen, menschliches Mitleid und Gefühle zurückdrängen. Diese Gefühlskälte sei zu fordern, damit der Analytiker geschont würde (Sigmund Freud, Ges. Werke, Bd. XIII, 380 f.).

»Zweifle nicht an dem, der dir sagt, er hat Angst, aber hab Angst vor dem, der dir sagt, er kennt keinen Zweifel« (E. Fried, Gedichte ohne Vaterland).

Frauen erleben uns Männer ängstlich, hilflos und schwach, wir selber wollen uns nicht so erleben. Manchmal sieht jemand uns weinen, aber dennoch äußern wir uns noch nicht offen. Wir weinen, wenn wir uns hilflos fühlen, weil wir enttäuscht sind oder wütend, meist ist Selbstmitleid im Spiel. Das heißt noch lange nicht, daß wir zu unserer Ohnmacht stehen. Wir hoffen, daß die Frau, die uns hat weinen sehen, es wieder vergißt, als einmaligen Ausrutscher betrachtet. Schon in der nächsten Minute arbeiten wir wieder am weiteren Aufbau der Unerschütterlichkeit. Und die Frauen akzeptieren diese Selbstdefinition wieder. Wenn Frauen registrieren, mit einem versteinerten Mann zusammenzuleben, spalten sie kommunikative Bedürfnisse ab. Da diese nicht befriedigt sind, richten sie sie auf ihre Kinder, auf die Töchter, aber auch auf Söhne. Die Feministinnen Eichenbaum und Orbach erzählen von einer Mutter, die an ihre Tochter Lorraine die doppelte Botschaft richtete, Männer seien nur als Brotverdiener zu gebrauchen, der emotionale Austausch mit ihnen sei aussichtslos, und Lorraine würde die persönliche Zuwendung vollends verlieren, wenn sie ihre Mutter verließe und sich mit einem Mann zusammentäte (Eichenbaum/Orbach, Feministische Psychotherapie, 50). Es stimmt aber nicht, daß Mütter eher ihre Töchter benutzen, um kommunikative Bedürfnisse bei ihnen zu befriedigen. Eichenbaum und Orbach postulieren, daß die Mutter akzeptiert, daß ihr Sohn ein eigenständiger Mensch werden, in die Welt hinausgehen und eine eigene Familie gründen wird (ebd. 55).

Auch Söhne werden häufig psychisch enorm belastet und festgehalten, ich habe das in den ersten beiden Kapiteln geschildert. Deshalb müssen sie ihre Angst abspalten. Sie haben vor ihren eigenen Reaktionen, davor, daß sie so reagieren könnten, wie sie fühlen, viel mehr Angst als vor realen Gefahren, vor Arbeitslosigkeit, Umweltzerstörung oder Krieg. Der normale schweigende Mann hat Angst vor seiner Angst und hält sie verzweifelt nieder. In die Angst der Frauen kann er sich nicht einfühlen, und darum wird er affektvoll ihnen gegenüber. Statt die eigene Angst wahrzunehmen, werden Männer wütend. Sie fühlen sich angegriffen, mißverstanden oder ungerecht behandelt. Es wäre also ein Fehler, anzunehmen, daß Männer keine Gefühle haben. Sie haben nur andere als Frauen, kaum solche, die hilfreiche Verbindungen stiften. Darum sind männliche Affekte Überbauungen ihres Schweigens. Wenn Männer sich schwach, irritiert oder verwirrt fühlen, sprechen sie nicht, sondern werden ärgerlich. Von Frauen werden sie bald und prompt »verstanden«. Die Sprache der Männer geht auf Kosten der Kräfte der Frau, Affekte richten Schaden an. Die Frau fürchtet sich, und der Mann ahnt seine destruktiven Kräfte. Deshalb fühlt er sich nicht mehr unbedeutend. Das zerstörerische Schweigen führt zu psychosomatischen Männerkrankheiten. Sie verkörpern den wortlosen Affekt. Vom Herzinfarkt weiß die Psychosomatik, daß er durch Unversöhnlichkeit und Hartherzigkeit hervorgerufen wird.

Während Frauen Furcht vor den eigenen Affekten haben, davor, Kontrollen abzubauen und ihr Leben zu gefährden, bagatellisieren Männer ihre Affekte. Nach Ausbrüchen entwickeln sie keine Reue, sondern Schuldgefühle. Männliche Wut enthält oft keinen Funken Zuwendung mehr, keinen Humor und keine Verbindlichkeit. Zarte und sanfte Gefühle werden unterdrückt.

Das Beispiel des rächenden Vaters zeigt, wie so etwas vor sich geht. Sein kleiner Sohn war auf der Straße verprügelt worden. Der Vater knöpft sich den Übeltäter vor. Während er diesen hartnäckig beschimpft, steht der Kleine weinend dabei. Er fühlt sich von seinem Vater nicht getröstet, sondern im Stich gelassen. Eine Frau, die als Zwölfjährige vergewaltigt worden war, legte in einem unserer Gruppengespräche den Vätern unter uns inständig ans Herz, keine Rache- und Gewaltimpulse gegen Vergewaltiger zu entwickeln, sondern das mißhandelte Mädchen zu trösten. Allzuoft, fügte sie hinzu, hätte sie anderes erlebt und sich dadurch doppelt mißhandelt und verraten gefühlt.

2. Entwertung der Frau

Margarete Mitscherlich nannte die Entwertung der Frau eine »analytische Grundregel«. In »Müssen wir hassen?« kritisiert sie Freud, weil er Frauen als infantilistisch, masochistisch und narzißtisch charakterisierte. Sein »zartes, liebes Mädchen« mochte er sich nicht als Konkurrentin denken. Die Natur habe die Frau durch Schönheit, Liebreiz und Güte dazu bestimmt, vom Mann angebetet und geliebt zu werden. Arbeiten und soziale Bedeutung erlangen sollte sie nicht.

Senta Trömel-Plötz stellt alle beleidigenden Synonyma für Frau zusammen. Puppe, Kind und Fräulein sagt der Mann zur erwachsenen Frau, Humphrey Bogart zu Ingrid Bergman: »Ich schau dir in die Augen, Kleines« (im Film »Casablanca«). Der Mann bevorzugt Körperteil- und Tierbegriffe für die Frau, beschwört damit dreckige, gemeine, bedrohliche, magische Assoziationen. Er verniedlicht sie als feine, schwache, zerbrechliche »Dame« und dämonisiert sie als Superfrau, die ihn bei seinen Geschäften stört. Seine schlimmste Feindin von heute ist die Emanze. Die Männer versteigen sich zu diesen Entwertungen, weil sie nicht die Absicht haben, aufrichtig und respektvoll mit der Frau zu sprechen. »Nein«, widersprechen sie, »ich wünsche mir eine starke, selbstbewußte und emanzipierte Frau.« Verbal mag er die Emanzipation unterstützen, aber was meint er damit? Sexuelle Libertinage und Doppelbelastung, weiter nichts. Setzt sich die Frau einmal über seine Interessen hinweg, dann legen selbst die »Fortschrittlichsten« ihr Veto ein. Sofort beginnen sie, gewonnene Freiräume einzugrenzen. Die sich wirklich emanzipierende Frau wird verachtet, weil sie sich den Männern partiell entzieht. Unsere verdrängte Verwöhnung ist allemal stärker als die voluntaristische, phasenweise schicke Unterstützung der Frauenbewegung.

Helga Pross ermittelte, aus der Sicht der Männer sei »ein Teil der als typisch weiblich erachteten Pflichten von minderem Rang« (H. Pross, Die Männer, 94 f.). Es gäbe noch keine gleichrangige Partnerschaft, weil Hausarbeit »unter männlicher Würde« sei. Männer gäben vor, sich die Frau als Ernährerin und sich selbst als Hausmann vorstellen zu können, akzeptieren würden sie das schon deshalb nicht, weil sie von der Frau nicht finanziell abhängig sein und womöglich kritisiert werden wollen.

Nach der politischen Wende wurden Chauvis ehrlich. Peter Handke assoziiert Sexualität, wenn er das Wort Frauen hört (in: Stern, Nr. 40, September 1982). Er bekennt sich zum männlichen Schweigen und möchte niemals etwas sagen, was »nur einer Laune« entspringt. Nichts Privates will er preisgeben. Männern rät er, sich zu verschweigen, um sich nicht zu verraten. Über Frauen aber spricht Handke, »ehrlich«, von seinem tiefen Mißtrauen ihnen gegenüber. Frauen seien Verräter, zu nichts, allenfalls auf die Entfernung hin, zu gebrauchen. Bei der Arbeit, im »künstlerischen Kampf« begriffen, will er nichts mit ihnen zu tun haben. Er haßt sie, weil sie ihn vom eigentlichen Problem ablenken. Große Künstler, meint er, hätten etwas Männliches an sich, etwas Undurchdringliches, Unnahbares, Unbeholfenes. Sie seien eckig, schwer und einzelgängerisch, sogar zickig. Außerdem zeichne sie Berührungsangst aus, wie sie auch bei Frauen anzutreffen sei.

Von der geballten Wucht dieser Vorurteile und Dummheiten muß ich mich erholen. Darum zitiere ich Sartre. Er bekannte, die Unterdrückung der Frau ignoriert zu haben, weil er der Ansicht gewesen sei, etwas von einer Frau an sich zu haben. Er räumt einen blinden Fleck ein, weil er den männlichen Herrschaftsanspruch für einen individuellen Makel des Mannes gehalten habe, der durch die weibliche Fügsamkeit ermöglicht werde. Obwohl er an die männliche Überlegenheit geglaubt habe, habe er sich mit Frauen immer besser unterhalten können. Nicht zuletzt deshalb, weil er ihnen gegenüber die Gesprächsführung hätte behaupten können. Inzwischen aber halte er es für möglich, daß Frauen die bessere Menschenkenntnis besäßen. Der Hauptkonflikt in der patriarchalischen Gesellschaft sei der zwischen den Geschlechtern und nicht der zwischen Klassen (Sartre über Sartre, 167 ff.). Das ist ein Beispiel für das Denken eines Mannes, der im Laufe seines Lebens die Entwertung der Frau wahrzunehmen beginnt und sich zur Wahrheit durchringt.

3. Bloßes Reden

Paradoxerweise zeigt sich männliches Schweigen vor allem beim Reden, einer Sabotage echter Kommunikation. Im Reden ohne die Intention, eine Beziehung zum Angesprochenen aufzunehmen, im bloßen Reden fehlt der Austausch über die gegenseitige unbewußte Abwehr von Intimität und Verbindlichkeit. Männer hören sich gerne reden, sie dozieren und erklären gern. Außerdem kämpfen sie, schwätzen, wehren sich permanent und stören Gespräche. Obendrein polemisieren sie häufig gegen Versuche, ihre Störmanöver auf Kalamitäten in ihrer Kindheit zu beziehen. Das nennen sie unsachlich. Wie es Umweltverschmutzung gibt, so gibt es Gesprächsverschmutzung. Beide gehen von Männern aus.

In einem Gespräch mit Dorothee Sölle sagt Heike Mundzeck (in: Als Frau ist es wohl leichter, Mensch zu werden, 32), daß sie auf Tagungen und Kongressen von Männern ein »Kikeriki« hört. Ein fast anrührendes Geschrei, wahrgenommen zu werden: »Aber wenn der nächste redet, hören sie schon gar nicht mehr zu, dann hat der seine Kikeriki-Stunde. Eine Kommunikation untereinander kommt deshalb oft gar nicht zustande« (ebd. 33). Dorothee Sölle riskiert die Diagnose: Männersprache, Sprache, die keine Gefühle kennt und keine Pausen. Eine Sprache, die keine Anteilnahme weckt, weil sie nichts Suchendes und Unfertiges mehr an sich hat. Hier sehen wir den Sinn des männlichen Geredes: Sicherheit vortäuschen, Minderwertigkeits-, Schwäche- und Angstgefühle hinter Worten verbergen. Freud nannte diesen Vorgang Agieren und setzte ihn streng gegen das Reflektieren ab, den stillen, zögernden, unsicheren Vorgang des Denkens. Geredet wird ohne die Absicht, an der Welt des anderen teilzunehmen (vgl. M. Heidegger, Sein und Zeit, 168 ff.). Es geht nur noch um das Geredete, nicht um den Angeredeten. Geredetes bildet eine indifferente Verständlichkeit aus, der nichts verschlossen scheint, die aber alles entschieden verschließt. Im öffentlichen Leben können wir das Gerede täglich studieren. Männer sprechen nie von sich persönlich, immer von Leistungen, Erfolgen, Siegen, Projekten, Aktionen, Initiativen. Von anderen Männern und ihren Fehlern sprechen sie auch, nie hingegen von ihren eigenen Zweifeln, Nöten, offenen Fragen oder Schwachstellen. Sie wissen alles, haben alles schon durchdacht. Auf Diskussionen dozieren sie nacheinander ins Publikum hinein, ohne miteinander Beziehung aufzunehmen. Sie sprechen auf komplizierte, unverständliche Art, schnell, laut und kämpferisch. Manchmal auch leise und kämpferisch. Sie ignorieren sich gegenseitig oder grenzen sich voneinander ab, dynamisch, allwissend und gelangweilt. Auf ein Interesse an den Zuhörern warten wir vergeblich, Betroffenheit wird strikt abgewehrt.

Man könnte den Redezwang des Mannes mit Aktivität verwechseln, wenn er nicht durch eine mangelnde Initiative in bezug auf Frauen gekennzeichnet wäre. Oft, wenn der Mann aktiv sein müßte, wartet er ab. Nicht, um sich führen zu lassen, sondern weil er reagieren will, entgegnen, geraderücken, richtigstellen. »Das würde ich anders machen«, sagt er, oder: »So würde ich das nicht sehen.« Er kritisiert und negiert. Auch wenn er die Führung nicht übernehmen kann, stört er diesbezügliche Versuche der Frau. Er stört sie, indem er wieder redet. Unsicherheiten in Gesprächspausen erträgt er nicht, nichts läßt er in der Schwebe. Wenn es still wird, regt er sich auf und bildet sich ein, verantwortlich zu sein. Ruhe verwechselt er mit einer Gerichtshofatmosphäre und spannt sich an. Er ist der Angeklagte, er redet, um sich zu verteidigen. Wenn er kann, verläßt er den Raum. Viele Frauen klagen: »Mein Partner ist nie bereit, mit mir ein ernsthaftes Gespräch zu führen.« Die Menschen, die mit ihm einen intimen Austausch haben möchten, erlebt der Mann plötz-

151

lich als fremd. Solange sie ihm fern waren, erschienen sie ihm nah.

Eine weitere Intention des Redens ist die Angstmache. Des Mannes beherrschender Gefühlsaustausch ist die Weitergabe von Angst. Wer Angst vor ihm hat, kann ihn nicht unter Druck setzen. Rede als Präventivschlag, Gespräch als Kampfplatz. Dazu paßt kein Einlenken, kein Nachgeben, keine Versöhnung. Bohrende Ungewißheiten werden niedergeredet. Und das in Gesprächspausen aufkommende Schweigen führt zur Ungewißheit darüber, was noch alles geäußert werden könnte. Es wird geredet, um nicht das Verbindliche zu riskieren. Weil geschwätzige Männer die verborgensten sind, können wir ihr Gerede nicht als oberflächlich bezeichnen. Es versteckt zerbrechliche, kindliche, zarte und chaotische Innenräume hinter Fassaden. Innenräume dürfen nicht betreten werden. Wir müssen lernen, hinter und trotz der Worte zu *hören,* mit unserem dritten Ohr, wie Theodor Reik das ausdrückte. Passivität hören wir hinter Aktionismus, Resignation hinter Eroberungslust und Sehnsucht nach Austausch hinter Beteuerungen, genügend Kontakte zu haben. Mit dem dritten Ohr hören wir, daß auch der *dynamische, schwungvolle, initiative* Mann auf der Stelle tritt. Daß der Bestimmende vieles mit sich geschehen läßt, daß der, der von seiner Unabhängigkeit schwärmt, oft bei anderen unterschlüpfen möchte und daß der angeblich Lebenserfahrene im tiefsten Innern träumt und auf lebendige Begegnungen nur noch hofft.

Eine Variante des männlichen Schweigens betrifft die Ablenkungsmanöver in der Maske des Gleichgültigen. Er steht über den Dingen, macht sich nie die Finger schmutzig, krempelt nie die Arme hoch. Dieser Mann wirkt borniert, auf manche Frauen wie ein Pascha. Er war als Kind der *kleine Prinz.* Er redet leise, distanziert, scheinbar beherrscht. Indem er sich so zurücknimmt, will er die Bemühung um sich erzwingen. Er sitzt aufgerichtet, geradeausguckend, und die Frauen neigen sich ihm zu, rutschen auf ihren Stühlen nach vorn, um ihn besser zu verstehen. Er lehnt sich zurück. »Ich habe es noch nie nötig gehabt, um Liebe zu kämpfen«, sagte mir neulich ein Mann, nachdem seine

Partnerin sich einem anderen zugewandt hatte. Seine Mutter war immer für ihn dagewesen und hatte ihm das Gefühl gegeben, daß es schmutzig sei, jemanden für sich gewinnen zu müssen. Nun hält er Hof, äußerlich ungerührt, und wartet, daß frau ihm entgegenkommt. Eher bleibt er einsam, als einen Korb zu riskieren. Er will sich unter keinen Umständen verletzen, die Empfindlichkeit nicht anmerken lassen. Wir spüren den innerlich tobenden Kampf um die spärlichen Reste seines Selbstwertgefühls. Durch sein Reden begibt sich der Mann aller Möglichkeiten einer sorgsamen, feinfühligen Warnehmung anderer Menschen. Er läßt nur Eindrücke zu, die seine bisherigen Meinungen unterstützen. Er hält nicht still, wartet nicht ab und kann nichts Neues und Fremdes wachsen lassen. Ständig deutet er liebenswürdige Aufmerksamkeiten als Nebensächlichkeiten oder Demütigungen. Noch wenn eine Frau sich ihm zuwendet und sich aufrichtig um ihn bemüht, meint er, daß nichts Gutes von ihr kommen kann.

Leute haben das bloße Gerede entdeckt und halten es – offensichtlich erleichtert – für den Beweis der Unmöglichkeit sprachlicher Verständigung. Sie schütten das Kind mit dem Bade aus, wollen nicht mehr sprechen. Nicht nur Drogenabhängige polemisieren gegen die Anstrengungen des verbindlichen Gesprächs, gegen das angebliche »Totreden«, das »Befreiungsgewäsch«: »Sie reden und reden, bis nichts mehr zu sehen ist«, lautet ein bekannter ironisch-resignativer Vorwurf. Auf diese Weise diskriminiert man pauschal Versuche, miteinander ins Gespräch zu kommen. »Moderne« und »aufgeschlossene« Leute plädieren für ein neues Schweigen und schauen hochmütig auf die naiv ums Sprechen Bemühten herab.

4. Keine Fragen stellen

Sprechen ist ein Akt gegeneitig verpflichtenden Einsatzes, eine Aufgabe für (mindestens) zwei. Wer sprechen will, wird fragen müssen. Er kann damit nicht auf die anderen warten, denn die haben schon resigniert. Wer fragt, muß auf Antwort warten können. Initiative und Geduld, beide sind nötig. Würde der Mann fragen, dann würde die Frau ihn konfrontieren, ihn zur Auseinandersetzung mit sich selbst auffordern. Er fürchtet ihre Kritik, aber auch die Aufforderung, aufmerksamer mit sich selbst umzugehen. Er lebt lieber in der Lüge über sich selbst, als der Frau Fragen zu stellen. Dazu kommt, daß nicht fragt, wer als klug zu gelten wünscht. Wer sowieso alles weiß, muß nicht fragen. Die halbe Wahrheit, daß jeder die Wahrheit über sich allein herausbekommen muß, ist eine halbe Lüge. Weil der Mann nicht fragt, wie und was die Frau denkt und empfindet, was ihr fehlt, wie er ihr entgegenkommen könnte, weil er nicht fragt, wie sie ihn erlebt und welchen Eindruck er auf sie macht, muß er vermuten, wie sie denkt. Er phantasiert und stabilisiert sein feindliches Frauenbild. Indem er sich nicht vergewissert, kann er dieses aufrechterhalten. Seine Vorurteile über die Frau verschweigt er tunlichst. Nicht einmal, daß er sie mag, kann er ihr sagen. Geschweige denn sie fragen, ob er und wann er von ihr gemocht wird. Und wenn nicht – weshalb nicht? Was befürchtet der Mann eigentlich?

Goethes Werther war ein Schweigender. Seine Werbung um Lotte war gescheitert. Sie war einem anderen versprochen. Hatte Werther geworben? Oder fühlte er sich zu kraftlos und stumm? Das Suizidmotiv war in ihm lebendig, ehe er Lotte kennenlernte. Vorübergehend trug ihn die Aussicht auf ein Leben mit ihr in eine freudige Stimmung empor. Für kurze Zeit trat Zuversicht in sein Leben, sehnsüchtige Hoffnung auf Lottes Trost. Bald aber überfielen ihn Verlassenheitsängste: »Ach, sie schläft ruhig und denkt nicht, daß sie mich nie wiedersehen wird. Ich habe mich losgerissen, ich bin stark genug gewesen, in einem Gespräch von zwei Stunden mein Vorhaben nicht zu verraten, und Gott, welch ein Gespräch« (J. W. Goethe, Die Leiden des jungen Werther, 56). Er ist doch noch einmal zurückgekehrt, um zu beklagen, daß sie ihn nicht versteht. Sie soll ihn erkennen, ohne daß er etwas dafür tut, ohne daß er sein Schweigen aufgibt: »Sie fühlt, was ich dulde! Heute ist mir ihr Blick tief durchs Herz gedrungen. Ich fand sie allein, ich sagte nichts und sie sah mich an«

(ebd. 87). Phantasien von Liebe, geheime Versprechungen. Fragen tut er Lotte niemals. Fürchtet er, seine Luftschlösser aufgeben zu müssen? In seinem Gemüt wimmelt es von versteckten Angeboten, die nur e: bemerkt. Ununterbrochen deutet er Zeichen und Botschaften, die es ihm erlauben, wahnhafte Hoffnungen zu nähren. So verstiegen war Goethe nicht. In den Leiden des Werther verarbeitete er eigene Schwächen produktiv. Er wußte sich stets die Kraft der Frau zu verschaffen. In seinem Kommentar zu Werthers Verhalten allerdings finden wir eine psychologisch nicht stichhaltige Deutung: »So verständige, so gute Menschen fingen wegen gewisser heimlicher Verschwiegenheiten untereinander zu schweigen an, jedes dachte seinem Rechte und dem Unrechte des anderen nach, und die Verhältnisse entwickelten und verhetzten sich dergestalt, daß es unmöglich ward, den Knoten eben in dem kritischen Momente, von dem alles abhing, zu lösen. Hätte eine glückliche Vertraulichkeit sie früher wieder einander näher gebracht, wäre Liebe und Nachsicht wechselweise unter ihnen lebendig geworden und hätte ihre Herzen aufgeschlossen, vielleicht wäre unser Freund noch zu retten gewesen« (ebd. 119). Goethes Einschätzung klingt an dieser Stelle etwas naiv, zu euphorisch hinsichtlich Lottes Bereitschaft und zu harmlos gegenüber Werthers Schweigen.

Gerade die *glückliche Vertrautheit* ist so schwer aufzubauen. Wir wissen, daß eine große Anzahl schwieriger und anstrengender Gespräche mit Dritten, geduldige Toleranz und mannigfache Bereitschaften gegenseitigen Entgegenkommens nötig gewesen wären, um Werther aus seiner selbst mitverschuldeten Depression zu holen. Auch der alte, weise Goethe verkannte die wahren Dimensionen des männlichen Schweigens. Sein Eduard, ominösen seelischen »Wahlverwandtschaften« ausgeliefert, verheiratet mit Charlotte, verliebt in Ottilie, sah keinen dialogischen Ausweg. Nur die Lösung, zu fliehen, in den Krieg zu ziehen. Eduard fragte nicht. In den Krieg ziehen – diese Lösung, Sehnsucht nach Liebe und dem Tod – wählte Goethe, als er Karl August 1792 auf seinem Feldzug gegen Frankreich folgte. Äußere Gefahren suchen, um den inneren die Waage zu halten?

Den eigenen Untergang in Kauf nehmen, das Hin- und Hergerissensein zwischen zwei Frauen nicht. Letzteres war ihm nicht erträglich, der Krieg gemäßer als Gespräche über sein Trauma. Gibt es keine anderen Möglichkeiten als die Vernichtung?

Uns steht Anstrengung bevor, wenn wir nicht ins Dunkel gleiten wollen. Wann wird es uns dämmern, daß das Schweigen zwischen den Geschlechtern die Ur-Neurose ist, das markanteste Phänomen der sogenannten Psychopathologie? Goethe vermochte im Jugend- wie im Alterswerk immerhin Verliebtheit und Verschwiegenheit, lockende Euphorie und den drohenden Untergang des Mannes in einen einfühlsamen Zusammenhang zu bringen. Wir Männer müssen Frauen fragen. Nicht weil diese immer klüger und weitsichtiger sind, sondern weil wir ihre Meinung nicht kennen. Ganz von vorne anfangen? Selbstverständlich!

Der Mann will nicht wieder am Anfang stehen, darum diskriminiert er das sprechende Geschlecht. »*Weibergeschwätz*« sagt er, Klatsch und Tratsch. Wer mit ihm sprechen will, ist ihm unbequem. Nur mutige und intelligente Menschen stellen Fragen. Ängstliche, die ihre Angst leugnen, fragen nicht, und ihre Hemmungen machen sie noch dümmer. Rutscht ihnen einmal versehentlich eine Frage heraus, dann machen sie flugs die Ohren zu und warten die Antwort nicht ab. Um des Himmels willen, diese Frau darf ich nicht fragen, die antwortet ja! Michael Hughes und Walter Gove fanden heraus, daß Männer sich öfter dumm stellen als Frauen: »Wer sich besonders oft unter Wert präsentierte, befand sich auch in der schlechtesten inneren Verfassung. Personen, die sich nur selten bewußt dümmer machten, als sie waren, erschienen psychisch am gesündesten« (in: Psychologie heute, August 1982).

Der Mann fragt nicht, weil er nicht belastbar und nicht konfliktfähig ist. Er befürchtet, daß die Frau über ihre Angst spricht und ihn ansteckt. Da er seiner eigenen Angst nicht gewachsen ist, fragt er nicht. Dem Mann ist die Wahrheit nicht zuzumuten. Jürgen Lodeman schildert die Empfindungen einer ungefragten Frau: »Hast Du mich jemals gefragt, was ich sonst so mache?

Was ich denke? Warum ich eigentlich Lehrerin bin? Was ich da für Schwierigkeiten habe? Tagtäglich? Anfangs habe ich Dir davon erzählt... Du weißt es wahrscheinlich nicht mehr. Ich war damals echt enttäuscht... und irgendwie hast Du es dann ja trotzdem fertiggebracht, mit mir zu schlafen, ich wollte eigentlich nicht, weil ich nur mit Männern zusammensein will... die mich nicht bloß... benutzen... Du hast nie gemerkt, daß Du immer nur von Dir erzählst. Nach meinen Sachen hast Du Dich nie erkundigt« (»Bettgeschichte« aus: »Männerleben«, 139 f.).

5. Nicht-Zuhören

Jeder Mensch hört zu, jeden Tag. Wie einfach das klingt. Es könnte einfach sein, aber es ist höchst kompliziert. Wenn die Frau sagt, daß sie sich Zuwendung wünscht, dann hört der Mann nicht zu. Er fühlt sich strapaziert, selbst wenn er sie nicht, wie viele Männer, uninteressant und oberflächlich findet. Nur in der gewissen Weise ist sie zu gebrauchen, etwas Wichtiges ist von ihr nicht zu erwarten. Für Männer ist das Zuhören ein Akt der Passivität. Auch wenn er schon merkt, daß dieser die höchste Aufmerksamkeit erfordert, leugnet er seine Aktivität. Eine ganz spezifische partielle Passivität dabei macht ihm Mühe, die, die Aktivität erfordert: wieder ein Paradox. Besonders wer das Pech hatte zu erfahren, daß man ihm zuhören muß, weil er Autorität hat, stempelt seine Zuhörer zu minderwertigen Menschen. Beim Zuhören drängen sich eigene Gedanken in den Vordergrund, deshalb ist der Mann für die Anliegen der Sprechenden nicht offen. Er fürchtet alle Gedanken jenseits seiner Klischees und Selbsttäuschungen. Während seines Redeflusses versiegen die relevanten Gedanken. Sich selbst hört er am wenigsten zu.

Frauen, die darauf bestehen, daß man ihnen zuhört, haben sehr wenige männliche Gesprächspartner. Keine Frau, die auf Aufmerksamkeit dringt, kann auf die kontinuierliche Beziehung zum Mann bauen. Zum Zuhören aufgeforderte Männer pflegen sich zurückzuziehen, bis sie vergessen haben, was die Frau wollte. Bis sie sich nur noch an ihre Schönheit und erotische At-

157

traktivität erinnern. Dann kommen sie wieder. Plötzlich melden sie sich wieder, unerwartet, unvorbereitet, die besseren Verdränger schneller. Sie wollen an die durch ihre blühende Phantasie künstlich in Spannung gehaltene lustvolle Intimität, an die Verwöhnung anknüpfen. Statt diese herzustellen, werden Illusionen zerstört, wenn man sich trifft. Enttäuscht ziehen die Männer von dannen. Dabei vergehen die Jahre. Realistische Beziehungen müßten auf andauernder gegenseitiger Pflege beruhen. Jede Pflanze geht ein, wenn sie nicht gepflegt wird, eine Beziehung noch schneller. Um sie am Leben zu erhalten, müßten wir uns regelmäßig sehen und uns zuhören. Vor allem die Enttäuschungen und die zu hoch gespannten Erwartungen wären zu besprechen. Das freilich ist des Mannes Sache nicht.

Cheryl Benard und Edit Schlaffer, Radikalfeministinnen, müssen sich nicht mit den bekannten Hinweisen auf die Gefühlsverhaltenheit begnügen. In »Der Mann auf der Straße« schreiben sie: »Über ihre Sorgen und Unzulänglichkeiten, ihre Ängste und Unsicherheiten sind Männer sehr schweigsam, zumindest im Bereich des Publizistischen. Nur unter vier Augen sind sie bereit, ihre Seelenlage preiszugeben (das aber dann ausführlich). Ein Dialog kann unter diesen Umständen schwer zustande kommen. In vertraulichen Gesprächen, das muß man leider feststellen, sind Männer in der Rolle des Sprechers meist begabter als in der Rolle des Zuhörers« (ebd. 270).

Ich kann mir nicht vorstellen, daß diese beiden Frauen für ihre Erkenntnisse von Männern Anerkennung bekommen. Sie helfen sich sarkastisch, protokollieren sogenannte männliche Stereotypen: Ein Mann, auf seine Arbeit konzentriert, erlebt, daß seine Frau ihn eines Tages sprechen will. Er hört, daß sie sich seit Jahren mit ihm langweilt, daß sie sich mißachtet, degradiert und verwaltet fühlt, weil er sie tyrannisiert und ihre Entwicklung durch Gleichgültigkeit austrocknet. Nun soll er gefälligst zur Kenntnis nehmen, daß sie Streit immer vermieden hat. Sie hat Orgasmen vorgetäuscht und Beleidigungen hinuntergeschluckt: »Warum hat sie nicht früher etwas gesagt, fragen sie nach einer kurzen Pause. Das hat sie doch, ständig, unentwegt, erwidert sie.

Der Gedanke, jahrelang etwas übersehen und überhört zu haben, fasziniert sie zunächst... Anfangs bedrückt sie das. Später verdrehen sie dabei die Augen« (Benard und Schlaffer, in: Jokisch, Annäherungsversuche, 208 f.).

Den dringenden Wunsch, etwas zu ändern, entwickeln Männer, die so angesprochen werden, selten. Entweder denken sie, daß die Frau spinnt, oder sie gehen pro forma auf ihr Anliegen ein, um sie nicht zu verlieren. Prinzip der gegenseitigen Täuschung: Sie täuscht Orgasmus, er Verständnis vor.

Ohne die geduldige und konsequente Erforschung des individuellen Unbewußten jedes Mannes wird sich nichts ändern. Dazu gehört die Erinnerung der frühen und frühesten Kindheit. In den Instrumenten der Tiefenpsychologie steckt das nötige Potential, um sprechen und zuhören zu lernen. Wir dürfen uns nicht darauf beschränken, diese Instrumente zur Herstellung der orgiastischen Empfindungsfähigkeit, zur Beseitigung neurotischer Symptome und zur Schulung nervöser Charaktere zu benutzen.

Ich kenne Männer, die auf dem Wege zur Erschütterung über ihre sexistische Gewalt gegen Frauen fühlen lernten, daß sie unmittelbar betroffen sind. Das Fühlen des einen ist das Leben des anderen. Es gibt Männer, die ihre Frauen zwar noch nicht kennengelernt haben, aber bereits wissen, daß sie ihnen nicht genügend Aufmerksamkeit schenken. Sie bemühen sich, und ich wünsche ihnen, daß sie Frauen finden, die zur Zusammenarbeit bereit sind.

Ein Mann, dem ich mich verbunden fühle, ohne ihn zu kennen, nahm offenbar die Schrecken der Selbsterkenntnis von der Distanz zur Frau auf sich. Wolfgang Utschick bekennt seine Unfreundlichkeit, sein Schweigen, seine Gefühllosigkeit. Er bekennt, daß er Marianne abwies, wenn sie versuchte, sich ihm zu nähern, und daß er übersah, was sie tat: »Aber ich kam nicht aus mir heraus... Was sollte denn noch alles passieren, bis ich endlich einmal aus mir herausfände und nicht nur mich erblickte, wenn ich sie sah, nicht diese ungestillten Wünsche, diese unerfüllten Liebesbedürfnisse... diesen Männerwahn, der sie mißbrauchte... Es war die Ausgeschlossenheit, die ich gelernt hatte... ein Aussatz an Mißverständnissen... ein Wahn, in dem ich mich aufhielt, als sie hereinkam, eine Gefühllosigkeit, in der ich zur Arbeit flüchtete, wo all die Enttäuschungen in einem unaufhörlichen Redefluß weggeschwemmt werden sollten« (in: Ausgeträumt, 107–115 passim).

12. Die Kraftlosigkeit des Mannes

Die Spezies der sicheren, gelassenen, souveränen und einfühlsamen Männer scheint mit der Generation unserer Väter ausgestorben«, schreibt Sarah Haffner (Bilder und Texte dieser Feministin). »Das starke Geschlecht«, so der Titel eines Aufsatzes, seien die Frauen. Hat es die Spezies der starken Männer tatsächlich gegeben? Ich lernte sie nicht kennen. Mein Vater war nie sicher, kaum gelassen, schon gar nicht einfühlsam. Sarah Haffner meint: »Männer sind auf die gebende, angeblich schwache Frau angewiesen, um sich als stark zu empfinden. Und diese sogenannte Stärke bricht in sich zusammen, der Mann entpuppt sich als Schwächling, wenn die Frau seine Bedürfnisse nicht als vordringlich anerkennt, sondern eigene Bedürfnisse wahrnimmt und auslebt« (ebd. 66).

Mir erscheint der Ausdruck *Schwäche* unzureichend. Ein Mann fühlt sich durch diese Diagnose nicht beunruhigt, weil er sie nicht auf sich bezieht. Schwäche läßt er nicht zu, er wähnt sich stark und kräftig. Der bloße Gedanke daran, schwach zu sein, würde ihn mit Abscheu erfüllen. Darum spreche ich von Kraftlosigkeit, womit ich selbstverständlich nicht in erster Linie physische Kraft meine. Worin besteht die spezifisch männliche Kraftlosigkeit?

Einige Daten habe ich in Kapitel 6 erwähnt, die Sterberaten der Witwer und Geschiedenen, die Selbstmordraten der Unverheirateten. Interessant war in diesem Zusammenhang der Hinweis, daß fast alle Stadtstreicher vom Bahnhof Zoo Männer sind, deren Beziehung zu Frauen auseinanderging. Ihr Leben wurde dadurch *sinnlos*. Goldberg schreibt: »Die Schlußfolgerung liegt auf der Hand, daß der Mann, dem der weibliche Rückhalt fehlt, anfälliger für Geisteskrankheiten ist, häufiger Selbstmord begeht oder stirbt als die Frau in vergleichbaren Situationen« (ebd. 19).

In dem Essay »Der Abstieg des Mannes« (Sebastian Haffner, Im Schatten der Geschichte) werden Männer hinter Schreibtischen mit seelisch belasteten Tigern in Käfigen verglichen. In unregelmäßigen Abständen explodieren sie, *als ob plötzlich eine latente Gemütskrankheit bei ihnen zum Ausbruch kommt*. Sie sind hysterisch und unberechenbar, sich selbst unverständlich. Haffner sieht Mißmut, Trübsinn und eine gewisse schmollende Hilflosigkeit. Wie angeblich Frauen, so erscheinen ihm Männer verdruckst, übellaunig und leise tückisch: »Männer sind empfindsame eitle Geschöpfe, viel eitler als Frauen... Die Eitelkeit der Männer ist stiller und geht viel tiefer... Männer wollen bewundert werden... Vor allem aber wollen sie sich selbst bewundern können« (ebd. 330). Die Vermutung jedoch, daß die Männer von heute im Grunde nicht geliebt werden wollen und daß sie ihre Frauen *nicht einmal mehr beherrschen,* geht wohl am Kern des Phänomens vorbei. Sie herrschen wie eh und je. Nur anders als früher, eben auf die kraftlose Art. Und sie konsumieren die Liebe der Frauen. Der Eindruck, daß sie nicht geliebt werden wollen, entsteht irrtümlich, weil sie die Liebe der Frauen selbstverständlich an-, aber nicht wahrnehmen. Goldberg sagt dazu: »Ich glaube, daß der Mann unbewußt fürchtet, ohne die Frau nicht überleben zu können. Außerhalb seiner starken Bindung an die Frau ist er oft ein isoliertes entfremdetes Wesen. Er hat nur wenige gute Freunde, er hat sein Interesse an anderen Frauen unterdrückt und ist seinen Kindern ein passiver, wenig interessierter Vater gewesen. Alle seine Bedürfnisse hat er an sie (die Frau) gebunden... Von der Geburt an ist der Mann von der Frau abhängig... Trotz der großen Töne, er werde keiner Frau erlauben, ihn zu gängeln oder ihn zu beherrschen... gelangt der Mann dahin, die Frau unbewußt als seine Lebenslinie zu betrachten – sein Mittel zum Überleben, seine Kraftquelle. Viele erwachsene Männer lassen fast alle ihre früheren Beziehungen fallen, wenn sie eine Verbindung mit einer Frau eingehen. Ihre Abhängigkeit wächst« (ebd. 19). Die Ehefrau oder Partnerin ist allzuhäufig die zentrale Vermittlungsinstanz zu allen menschlichen Beziehungen. Im privaten Bereich hat der Mann die soziale Kontaktnahme, die im Beruf meist organisatorisch festgelegt ist, an die Frau delegiert. Fällt sie aus, dann bricht der männliche Lebenszusammenhang zusammen, weil Männer ihrer großen Konkurrenzmotivierung wegen nie geübt haben, rechtzeitig neue persönliche Bindungen zu suchen. Dafür machen Männer Frauen, wie ich oft erlebe, verantwortlich: »Früher hatte ich viele Freunde; seit ich dich habe, habe ich keine mehr.«

Männliche Sozialisation ist Einübung in soziale Unzulänglichkeit, so Benard und Schlaffer, der Mann wird durch eine Reihe von Unfähigkeiten als solcher definiert: »... angefangen von Hilflosigkeit bei den einfachsten Handgriffen des täglichen Überlebens über die Unfähigkeit, die Stimmungen und Empfindungen anderer und die eigenen wahrzunehmen, bis hin zu einer konsequenten Kommunikations- und Bindungshemmung« (Benard/Schlaffer, in: Annäherungsversuche, 217). Das Fehlen von tragfähigen Freundschaften, die Unfähigkeit zu kommunizieren und die brüchigen Beziehungen zu Kindern lösen zwischen 45 und 55 Depressionen aus (ebd. 218–220), die durch das Schlagwort *midlife-crisis*, wie ich meine, irreführend beschrieben werden. Nach meiner Erfahrung lebt der Mann zeitlebens in der Krise. Seine Beziehungen zu anderen Frauen gestaltet er fast ausschließlich nach erotischen Kriterien. Die andere ist entweder sexuell anziehend oder uninteressant, mithin keine Freundin im menschlichen Sinn. Bleibt die eigene Partnerin als Brücke zur sozialen Welt. Andere Männer hat er sowieso immer abgelehnt und vergrault. Zur männlichen Kraftlosigkeit gehören Haltungen wie Unterwürfigkeit, Infantilismus, überstarker Selbstzweifel bis zur Selbstaufgabe. Obwohl diese männlichen Leiden auf die Frau projiziert werden, dienen sie dazu, diese auf den Plan und zu Hilfe zu rufen. Besonders virulent wird die Kraftlosigkeit bei dem Mann, dessen Eifersucht offen ausbricht. Nachdem er vergeblich gekämpft hat, spielt er seine Kraftlosigkeit als letzten Trumpf aus. Warum zum Beispiel stirbt der Mann früher als die Frau? Er wird im Durchschnitt 68, die Frau 74 Jahre alt. Weil er nicht krank sein und öffentlich, außerhalb der eigenen vier Wände, nicht leiden darf? Es kostet eine enorme Kraft, immer den Gesunden zu spielen. Nur wer zugibt, schwach zu sein und zu leiden, darf sich ausruhen und entspannen. Viele Männer sterben im Urlaub, wenn sie sich nicht mehr so zusammenreißen müssen. Die Frau ist kräftiger, weil sie klagen und krank sein darf. Wir Männer müssen lernen, die Krankheit, die Trauer und die Angst als Selbstheilungschance zu ergreifen (vgl. D. Beck, Krankheit als Selbstheilung), als Kräftereservoir und nicht als Kräfteverlust. Ihre längere Lebenserwartung bezahlen die Frauen mit den *Frauenkrankkheiten,* Kreislaufstörungen, Schlaflosigkeit, Angst, Schwitzen, Darmträgheit, Nervosität, Abgespanntheit und Herzbeschwerden, Krankheiten, die schon Sigmund Freud unter dem Stichwort *Angst* zusammenfaßte. Der weibliche Selbstschutz funktioniert besser, sie leiden mehr und sprechen mehr über ihre Leiden.

Und wie steht es mit den Möglichkeiten einer psychischen Entwicklung? Oft wissen Männer gar nicht, was das heißen soll: *Entwicklung.* Eine junge Frau, die mit therapeutischer Hilfe ihr Studium zu einem guten Abschluß brachte, fand einen neuen Partner. Er schwärmte von einem Häuschen im Grünen und wies alle Gesprächsangebote zurück: »Entwicklung – was soll das sein?« Ich bin sicher, daß er es wirklich nicht weiß. In seiner Kindheit gab es dieses Wort noch nicht. Selbst in Gruppen stellt er sich wieder kraftlos. Er trägt an den Leiter und die anderen dieselbe Kraftlosigkeit heran wie früher an die Mutter und an die Partnerin. »Mach du mit mir – ich kann nicht.« Ein anderer Mann sagte: »Ob das hier Entwicklung ist, weiß ich nicht. Ich wünsche mir die Sache so, daß es einen großen Knall gibt, und meine Probleme sind gelöst.«

Neben solchen infantilen Riesenansprüchen gehört zur männlichen Kraftlosigkeit »die Unfähigkeit zu trauern« (Mitscherlich). Obgleich diese Arbeit die Verleugnung geschichtlicher Ereignisse transparent machen soll, sehen wir eine aufschlußreiche Parallele zwischen dem kollektiven Phänomen und der individuellen Angst- und Verlustverdrängung. Der geistige Boden für den Männlichkeitskult und das Härteideal des Dritten Reichs war durch Männerbünde vorbereitet. Ein sichtbarer Ausdruck der Kraftlosigkeit des Unerschütterlichen ist sein Unvermögen, zu weinen. Tränen spülen überflüssige Schadstoffe hinweg und erlauben seelische Entkrampfungen. Der Kraftlose weint nicht, wenn er Verluste erleidet.

Im Zusammenhang mit der Aufrüstungsproblematik äußerte der frühere Bundeskanzler Helmut Schmidt: »Ich werde mich gegen jeden Sozialdemokraten wenden, der öffentlich seine Angst bekennt.« Gerade weil die Aufrüstungsdebatten unter dem Primat der Tabuisierung von Angst stattfanden, entarteten sie zu gefühllosen Rationalisierungsexzessen. Darum ist die männlich kraftlose Unterdrückung der Furcht auch ein erstrangiges politisches Problem. Sie gehört in den Bereich der politischen Psychopathologie. Männer mit Angst würden nicht in den Krieg ziehen, darum werden sie angehalten zu verdrängen. Wir müssen lernen, nicht beziehungslos zu plappern, wenn Menschen über ihre Ängste sprechen möchten. Die Kraftlosigkeit maskiert sich raffiniert. Durchbrüche von Aggressivität und Zerstörungswut sind ihr Pendant. Wir dürfen uns von Wutanfällen nicht beeindrucken lassen. Hinter ihnen steckt ein Hilflosigkeitsgefühl, das auf andere übertragen werden soll. Ein Zehnjähriger sagte: »Ich lasse mich immer von anderen aufladen.« Irgendwann explodiert er dann. Er schlägt etwas kaputt, wenn er unter ausreichender Spannung steht. Oft ist Gewalt die Reaktion dessen, der zu lange schweigt und sich plötzlich nicht mehr beherrschen kann. Ganz schlimm wird es, wenn die Kraftlosigkeit ein Stadium erreicht, in dem der Mann nicht einmal mehr wütend wird. Selbst sein Schimpfen hört auf, er hat resigniert. Nun steckt er Kränkungen ein, wird allenfalls noch giftig. Etwas Schlimmes staut sich in ihm an, die nächste Eruption kann tödlich sein, auch für ihn selbst.

Auch Normenverstöße sind nicht automatisch kraftvoll. Trotz und Rebellionen zeugen von Kraftlosigkeit. Erich Fromm entwarf eine Psychologie des Rebellen. Er verstößt gegen Gesetze, weil er zerstören will. Der Revolutionär würde zusehen, daß er seine persönlichen Beziehungen human gestaltet, ehe er, besonnen, gesellschaftliche Institutionen in Frage stellt. Ebenso offensichtlich wie die des Rebellen ist die Kraftlosigkeit des Flüchtigen, der seine Sache jäh und unerwartet aufgibt. In einem Roman von Max Frisch begegnen wir Fred Stiller, der meint, es mit dieser Familie, dieser Frau und diesem Beruf nicht mehr aushalten zu können. Ohne ein einziges Mal darüber gesprochen zu haben, geht er fort und kehrt erst nach sechs Jahren, noch immer schwach, zurück.

Nicht so offen zutage liegt die Kraftlosigkeit dessen, der seine psychosomatischen Signale unterdrückt. Horst Eberhard Richter beschreibt in »Lernziel Solidarität« den Herzinfarktmann, der seinen Körper unterdrückt und seine weiblichen Gefühle.

Nicht die Krankheit, so meine ich, ist besorgniserregend, sondern ihre Leugnung. Herzinfarkt heißt übersetzt: »Ich kann nicht weich sein, ich gebe nicht nach.« Alle psychosomatischen Leiden sind in Körpersprache übertragene Botschaften. Der Heisere *sagt:* »Ich mag nicht sprechen«, der mit dem Bandscheibensyndrom: »Ich werde mich nicht beugen, ihr kriegt mich nicht klein.« Sein Rückenleiden läßt andererseits auf mangelndes Rückgrat schließen, auf ein zorniges *Kleinbeigeben,* wenn flexible und nachgiebige Auseinandersetzungen anstünden. Der Mann mit zu hohem Blutdruck sagt: »Ich muß immer in der Lage sein, schnell und wuchtig auf die feindselige Umwelt zu reagieren.« Bei geringsten Anlässen mobilisiert er alle ihm zur Verfügung stehenden Kräfte, verteidigt sich und schlägt zurück. Nicht einmal mehr im Schlaf kann er sich entspannen. Im Traum wird verfolgt, angegriffen und Krieg geführt. Und der Mann mit den Magenschmerzen sagt: »Niemand liebt mich, aber ich werde das nicht zeigen. Ich fresse meinen Groll in mich hinein.« Er klagt die Frau an, wenn er sich unverstanden fühlt: »Wenn du mich nicht liebst, mir keine Nahrung gibst, fresse ich mich selber auf.«

Zusammenfassend möchte ich das Gemeinsame bei diesen Männerkrankheiten hervorheben: die nicht eingestandene Angst. Weil der Mann eine ungeheure Kraft verwendet, sie niederzuhalten, nicht über sie zu sprechen, allein mit ihr fertig zu werden, ist er so kraftlos. Er ist kontaktarm, offene Menschen ängstigen ihn, er findet sie langweilig und widerwärtig. Aber seine Nähefeindlichkeit wird erst dadurch zur Kraftlosigkeit, daß er sich zu Unrecht geborgen und seine Beziehungen für stabil hält. Die, mit denen er sich verbunden fühlt, wissen gar nichts davon, und er bedauert es nicht, wenn jemand sich von ihm zurückzieht.

In der Partnerkrise steht er allein und kann sie nicht durchstehen. Er kann sich nicht trösten lassen und kann nicht trösten. Wenn jemand trauert, flüchtet er.

Zum Abschluß dieser Phänomenologie der Kraftlosigkeit weise ich darauf hin, daß der Mann sich nicht freuen kann. Wie nach dem Motto »Übermut tut selten gut« freut er sich nicht über Erfolge, nicht darüber, daß er lebt und aktiv sein kann, nicht über die Natur und nicht über die Kultur. Noch weniger freut er sich über seine Partnerin oder deren Erfolge. Nicht einmal darüber, daß sie sich freut und mit ihm froh sein möchte. Immer findet er ein Haar in der Suppe. Ein Mann sagte mir: »Beim Arbeiten bin ich wie im Rausch. Ich kann nicht aufhören. Ich muß jede einmal begonnene Arbeit perfekt abschließen, und zwar genau nach meinen Vorstellungen. Pläne und Wünsche meiner Frau, auch wenn sie meine Erholung betreffen, kann ich nicht berücksichtigen. Ich arbeite wochenlang, Tag und Nacht, ohne Pause, auch am Wochenende.« Auf seine Mitmenschen wirkt er stur und abgeschottet. Ist die Arbeit aber fertig, dann genießt er keine Anerkennung, nach ihrer Beendigung ist er nicht voller Freude, sondern mißmutig und deprimiert.

Ein außerordentliches Beispiel dieser männlichen Kraftlosigkeit gibt Franz Kafka in seinem »Brief an den Vater«. Ernst Deutsch, der Schauspieler, äußerte einmal, daß Kafka immer schweigend dabeisaß, wenn sie sich im Kreise der Freunde trafen. Nun kann nicht jeder seine Kraftlosigkeit so beeindruckend kompensieren wie Kafka, der sein Schreiben als eine Form des un-erhörten Gebetes empfand. Trotzdem fühlte er sich zeit seines Lebens von Gespräch und wärmenden Beziehungen abgeschnitten. Sein Brief erreichte den Vater nicht. Kafka hatte seine Mutter gebeten, ihn zu übermitteln. Julie Kafka lehnte ab und sandte den Brief mit einigen begütigenden Worten an Franz zurück.

Als ich den Brief vor etwa 15 Jahren in die Hände bekam, vermochte ich nicht, ihn zu Ende zu lesen. Er war mir nicht deshalb unerträglich, weil ich so anders bin als Kafka. Ich hatte mich gesträubt anzunehmen, was dort über mich stand. Kafka schrieb: »Du hast Dein ganzes Leben lang schwer gearbeitet, alles für Deine Kinder, vor allem für mich geopfert… Du hast dafür keine Dankbarkeit verlangt… aber doch wenigstens irgendein Entgegenkommen, Zeichen eines Mitgefühls; statt dessen habe ich mich seit jeher vor Dir verkrochen… offen gesprochen habe ich mit Dir niemals« (ebd. 5 f.). Der Sohn fühlte, als verkröche er sich vor dem Vater. Wir kennen »Die Verwandlung« von Kafka, den Bericht eines Menschen, der eines Morgens als Ungeziefer erwacht und nur noch kriechen kann (Das Urteil). Vater Kafka warf seinem Sohn Kälte, Fremdheit und Undankbarkeit vor. Er selber war stark und gesund, hatte immer Appetit, dazu Stimmkraft und Redebegabung. Er besaß Ausdauer, Geistesgegenwart, Großzügigkeit und Weltüberlegenheit. Auch in seiner Selbstzufriedenheit war er das genaue Gegenteil von Franz. Der fühlte sich »schon niedergedrückt durch (Deine) bloße Körperlichkeit… Deine geistige Oberherrschaft… Deine Meinung war richtig, jede andere… verrückt, überspannt, meschugge, nicht normal.« Und so verlernte Franz das Reden: »Ich wäre ja wohl auch sonst kein großer Redner geworden, aber die gewöhnliche fließende menschliche Sprache hätte ich doch beherrscht. Du hast mir aber schon früh das Wort verboten. Deine Drohung: ›Kein Wort der Widerrede!‹ und die dazu erhobene Hand begleiten mich schon seit jeher. Ich bekam… eine stockende Art des Sprechens, auch das war Dir noch zu viel, schließlich schwieg ich« (ebd. 20). Wir könnten sagen, das ist eben Kafka, ein Einzelfall. Woher rührt aber dieselbe Kraftlosigkeit bei so vielen Männern? Die *Erziehungsmittel* des Schimpfens, Drohens und der Ironie wirken gut, die Kraftlosigkeit wird *vererbt,* der Sohn identifiziert sich mit des Vaters Kraftlosigkeit, weil er sie für Grandiosität hält.

In jeder der zehn exemplarischen Geschichten von Mitscher-lich/Dierichs über »Männer« stoßen wir auf die Kraftlosigkeit. Werner, ein Dozent, berichtet, daß, wer keine Kraft hatte, unter den Spielkameraden als Pflaume galt, als weich und weibisch. Er war ein Muttersöhnchen, hatte vor den anderen Angst. In allen Männergruppen ging es ihm wieder so. An ihm vollzogen die an-deren Rituale der Bestätigung ihres Mannseins, das Zähnezeigen und die Kraftdemonstration.

Jörg, ein Psychotherapeut, erzählt, daß er sich absichert, ohne sich zu zeigen. Er verbirgt sich hinter einer Fassade scheinbarer Souveränität, als der perfekte Helfer in allen Lebenslagen: »Wenn ich versuchte, etwas von mir mitzuteilen… dann war das von… Angst und Unsicherheit begleitet… daß ich liebevolle Zuwendung nicht ertragen konnte… dann wurde ich hart, ver-schlossen und abweisend« (ebd. 59). Er verhält sich wie eine Frau, so heißt es, erledigt den Haushalt und dient anderen als seelische Müllkippe. Wut, Tränen und Ärger stecken hinter die-ser Fassade. Seine Erziehung folgte der Maxime: »Lerne leiden, ohne zu klagen.« »Der Mensch, der nicht geschunden wird, der wird auch nicht erzogen«, hatte man gesagt, und: »Wer sein Kind liebt, der züchtigt es.«

Leo, ein Richter, ist sensibel, einfühlsam und weichherzig – mit dem Kopf! Wenn Frauen Zärtlichkeit wollen, verweigert sich sein Körper. Wenn es privat wird, taucht er ab, wird in sich gekehrt. Er bleibt ein verschlossener Einzelgänger: »Ein Mann spricht nicht über persönliche Schwierigkeiten, über Gefühle, die ihn bedrängen… ein Mann hat eigentlich keine Probleme« (ebd. 75).

Wolfgang Schmidbauer beschrieb die Kraftlosigkeit in »Die hilflosen Helfer«: Ein Mann träumt, daß er vor einem Haus mit einer prächtigen Fassade steht. Ein Eingang ist nicht da. Er klopft, aber nichts rührt sich. Als er um das Haus herumgeht, findet er in einem alten Schuppen Gerümpel. Ein leises Wim-mern macht ihn auf ein kleines Baby aufmerksam, das unter al-lem Krempel einsam und ausgehungert liegt. Das Baby symboli-siert die wahren Gefühle des Mannes.

Auch der Psychotherapeut kann unter Kraftlosigkeit leiden. Er muß Rat geben und Menschen sagen, wie sie sich verhalten könnten; er kennt Techniken zur Lösung von Konflikten, die er auf sich selbst nicht anwendet. Wenn die Gespräche allzu kraftlos werden, empfiehlt er Tabletten. »Wer ist aus Holz?« nannte Jan Foudraine sein Buch über Erfahrungen aus der Psychotherapie, die ich kraftlos nenne, wenn sie nur mit Psychopharmaka arbeitet und den Menschen kein Gespräch anbietet. Der Psychologe ist aus Holz, der Menschen »behandeln« möchte, ohne ihnen Gelegenheit zu geben, sich auszusprechen und den Arzt kennenzulernen.

Friedrich Nietzsche brach eine Lanze für das Leiden. Ich erinnere mich, daß ich mich früher darüber geärgert habe und ihn für einen Masochisten hielt. In »Also sprach Zarathustra« aber sagt er: »Arzt, hilf dir selber: so hilfst du auch deinem Kranken noch. Das sei seine beste Hilfe, daß er den mit Augen sehe, der sich selber heil macht« (ebd. 83). So sähe eine starke Psychotherapie aus, Leidensfähigkeit darf nicht mit Kraftlosigkeit verwechselt werden. Ein für allemal kräftig und gesund ist niemand. Sich selber heil machen – das kann nur der, der über seine Leiden spricht. Also können wir uns nicht selber heil machen. Nur der kraftlose Mensch sucht sich keine Hilfe, er belastet seine Mitmenschen dennoch. Genauso wie er seine Werte lebt und – bewußt oder unbewußt – Maßstäbe setzt, lebt er sein Leiden und provoziert Mitleiden. Wer darüber spricht, macht es den anderen leichter. Sie können mit ihm gemeinsam erleben, was in ihm vorgeht und wie er damit umgeht. Zu viele sprechen nur über Gemeinschaftsgefühl und Echtheit, ohne ihre Gefühle mitzuteilen. Sie bleiben kraftlos und blaß.

Die Kehrseite ist, daß sie sich über Frauen erheben, weil diese sprechen. Horst Eberhard Richter erwähnt in »Lernziel Solidarität«, daß Männer in gemischten Gruppen so tun, als seien sexuelle Schwierigkeiten Frauensache. Im Laufe der Arbeit stelle sich heraus, daß sie Potenzprobleme haben. Mir wurde auch erst in der Männergruppe klar, daß die sogenannten sexuellen Perversionen schweigende Kraftlosigkeit sind. Der sogenannte Perverse verwöhnt sich. Exhibitionisten, Voyeure und Sadomasochisten sind keine Getriebenen, sondern Männer, die nicht gelernt haben, durch sprachlichen Austausch auf zarte Weise eine erotische Atmosphäre zu schaffen.

»Reden wir nur davon… ob es gleich schlimm ist. Schweigen ist schlimmer; alle verschwiegenen Wahrheiten werden giftig«, sagt Nietzsche (Also sprach Zarathustra, 126). Es gibt keine größere Aufgabe im Leben des Mannes als die Heilung seines kraftlosen Ressentiments. Das Gift seiner verschwiegenen Wahrheiten entwickelt eine enorme Resistenz. Dieses Problem wird auch von Frauen manchmal verharmlost. Christiane Collange verschleiert eindrucksvoll. Auf dem Buchdeckel von »Der gerupfte Pascha« steht, daß die Frauen jetzt frei seien, dank der von Papa Freud und Mama Beauvoir geleisteten Arbeit. Das ist nicht nur Schwachsinn, das ist Tücke. Die Collange behauptet, daß das Schweigen der Männer die stärkste Klippe für ihre einjährige – welche kurze Zeit! – Forschungsarbeit gewesen sei. Schließlich aber hätten die Männer bekannt, wie es in ihren Köpfen und Herzen aussieht. Sie hätte ihre Tarnmanöver überwunden, nachdem sie sich oft stundenlang gedulden mußte. Wenn die Männer erst einmal *angebissen* hätten, redeten sie frei von der Leber weg und schütteten ihr Herz aus (ebd. 10 f.).

Nehmen wir an, daß der eine oder andere sich so verhielt. Es wäre nichts Neues. Wir hörten, daß Männer auch Prostituierten *alles* erzählen. Aber was bleibt der Partnerin des Mannes? Wieviel Klagen über sie und Anklagen gegen sie hat die Collange herausgekitzelt? Den Frauen macht sie nun implizit einen unberechtigten Vorwurf: »Sieh, wie einfach der Mann zum Sprechen zu bewegen ist. Du müßtest nur ein wenig netter sein!« Aber zu Hause bringen diese Männer ihre Partnerinnen mit ihrer Verbohrtheit und Härte weiter zur Verzweiflung, wenn sie nicht die bekannten Monologe halten.

Ich wende mich gegen den gesellschaftlichen Mißstand der männlichen Kraftlosigkeit gegenüber der Frau. Frauen leiden unter Männern, die ihnen keine Hilfe leisten, die sie nicht anhören und nicht pflegen. Unter Männern, die immer müde werden, wenn die Frauen ihnen etwas erzählen möchten. Jede Frau klagt über unaufmerksame und nicht tröstliche Partner, über Verwöhnte, Oberflächliche oder Depressive. Wenn der Mann kommt, verschwindet die Ruhe, die Wärme und die Geborgenheit. Schließlich redet auch die Frau mit ihm nur noch über Belangloses. Er wirkt gedrückt und ein wenig lächerlich in seiner Illusion über sich. In »Ein Mann gibt Auskunft« (Wer nicht hören will muß lesen, 49) nimmt Erich Kästner zum Problem der männlichen Kraftlosigkeit Stellung. Mit seinen einfühlsamen Versen schließe ich dieses Kapitel ab:

»Das Jahr war schön und wird nicht wiederkehren.
Du wußtest, was ich wollte – stets und gehst.
Ich wünschte zwar, ich könnte dir's erklären,
Und wünschte doch, daß du mich nicht verstehst.

Ich riet dir manchmal, dich von mir zu trennen,
Und danke dir, daß du bis heute bliebst.
Du kanntest mich und lerntest mich nicht kennen.
Ich hatte Angst vor dir, weil du mich liebst.

Du denkst vielleicht, ich hätte dich betrogen.
Du denkst bestimmt, ich wäre nicht wie einst.
Und dabei habe ich dich nie belogen!
Wenn du auch weinst.

Du zürntest manchmal über meine Kühle.
Ich muß dir sagen: Damals warst du klug.
Ich hatte stets die nämlichen Gefühle.
Sie waren aber niemals stark genug.

Du denkst: das klingt, als wollte ich mich loben
Und stünde stolz auf einer Art Podest.
Ich stand nur fern von dir. Ich stand nicht oben.
Du bist mir böse, weil du mich verläßt.

Es gibt auch andre, die wie ich empfinden.
Wir sind um so viel ärmer, als ihr seid.

Wir suchen nicht, wir lassen uns bloß finden.
Wenn wir euch leiden sehn, packt uns der Neid.

Ihr habt es gut. Denn ihr dürft alles fühlen.
Und wenn ihr trauert, drückt uns nur der Schuh.
Ach, unsre Seelen sitzen wie auf Stühlen
Und sehn der Liebe zu.

Ich hatte Furcht vor dir, du stelltest Fragen.
Ich brauchte dich und tat dir doch nur weh.
Du wolltest Antwort. Sollte ich denn sagen:
»Geh!«

Es ist bequem, mit Worten zu erklären.
Ich tu es nur, weil du es so verlangst.
Das Jahr war schön und wird nicht wiederkehren.
Und wer kommt nun? Leb wohl! Ich habe Angst.«

13. Die konsequente Hilfe: eine Utopie

Wenn eine Frau mit einem Mann zusammenleben will, muß sie für ihn ein Stück Verantwortung übernehmen. Wenn sie nicht will, dann ist das ihre Sache, der Mann kann es nicht fordern. Sie bleibt allein, lebt mit ihren Kindern ohne deren Vater oder mit Frauen zusammen und bleibt mit Männern nur locker in Beziehung. Unmöglich ist nur, daß sie mit dem Mann zusammenleben will und ihn mit seinen seelischen Problemen allein läßt. Kein Mensch, der mit anderen leben möchte, kommt umhin, an und mit diesen zu arbeiten. Weder Frauen noch Männer sollten sich darüber Illusionen machen, weil ein glückliches Zusammenleben ohne diese Konsequenz nicht möglich ist. Allerdings muß die Frau, die sich dem Leben mit einem Mann stellt, darauf dringen, daß er auch für sie therapeutisch wird, daß er sich um eine spürbare Weiterentwicklung der Beziehung bemüht. Aber sie darf ihn nicht nur kritisieren. Sie muß im Gegenteil selbstkritisch fragen, warum sie die Führung in bestimmten Belangen nicht übernimmt. Hat sie die Macht ihrer Mutter so gefürchtet, daß sie heute scheut, ein Gegenüber zu sein?

Viele Feministinnen sind anderer Meinung. Sie sehen die männliche Gewalt und Grausamkeit und wollen damit nichts mehr zu tun haben. Ich verstehe das und bin erschüttert über die männlichen Übergriffe wie über die weiblichen Konsequenzen. Männer von heute aber sind, die von morgen werden, auch von Feministinnen, so erzogen, daß sie die Gefährtenschaft der Frau dringend brauchen. Wer ernsthaft an der Humanisierung der Geschlechterbeziehungen interessiert ist, kann darüber nicht hinwegsehen.

Nehmen wir einmal an, eine Frau sei sich all dessen bewußt. Sie liebt ihren Partner und akzeptiert ihr Schicksal in der patriar-

174

chalischen Gesellschaft: Er ist frauenfeindlich, in gewissem Sinn infantil und störrisch gegenüber weiblichen Werten. Dann könnte sie es sich dennoch zur Aufgabe machen, ihn so zu beeinflussen, daß er ermotional wächst. Daß er Entwicklung, Gefühle, Phantasie, Zärtlichkeit und Menschenpflege lernt und Erotik, Sehnsucht, Eifersucht, Untreue anders erleben lernt. Er könnte berührt sein und ihr wißbegierig, freundlich und bereitwillig zuhören. Das ist eine konkrete Utopie.

Es erscheint uns unwahrscheinlich, daß der Mann darüber nachdenkt, wie er – als Geschenk an seine Geliebte – an sich arbeiten und sein Leben so einrichten kann, daß die beiden sich gegenseitig lieben und helfen. Bisher reagiert jedenfalls kaum einer so. Er beutet die Frau therapeutisch aus, geht Männersachen nach und merkt nicht, daß sein Leben sinnvoller und schöner wäre, wenn er nicht dauernd Widerstand gegen die Führung durch die Frau leisten würde.

»Gegen die Männerkrankheit der Selbstverachtung hilft es am sichersten, von einem klugen Weibe geliebt zu werden«, wußte Friedrich Nietzsche (Menschliches, Allzumenschliches, 261). Rainer Maria Rilke schrieb an Lou Andreas-Salomé: »Ich kann niemanden um Rath fragen als Dich; Du allein weißt, wer ich bin. Nur Du kannst mir helfen und ich fühle schon an Deinem ersten Briefe die Macht, die Deine ruhigen Worte über mich haben. Du kannst mir aufklären, was ich nicht verstehe. Du kannst mir sagen, was ich tun soll; Du weißt, wovor ich mich fürchten muß und wovor nicht... Ich weiß, daß jetzt alles besser wird, da ich zu Dir reden darf und Du mich hörst. Ich danke Dir« (Briefwechsel, 60).

Henrik Ibsen entwarf, was heute passiert: Die Frau verläßt den Mann. »Nora« war gemäß der Überzeugung von der Minderwertigkeit der Frau erzogen worden. Zur Unmündigkeit und Abhängigkeit vom Mann. Helmer unterband jahrelang jede ihrer Regungen zur Selbständigkeit. Als er krank war, borgte sie Geld, damit er eine Erholungsreise antreten konnte, fälschte zu diesem Zwecke eine Unterschrift. Als er es erfuhr, beschimpfte er sie als Heuchlerin und Verbrecherin. Nora verläßt Helmer, als ihr bewußt wird, daß sie mit einem Fremden zusammengelebt

hat. Den Gedanken, daß sie wirklich geht, kann er nicht fassen...
»Es ist ein nichtswürdiger Mann, der sich nicht schämet, sein ganzes Glück einem Frauenzimmer zu verdanken«, sagt Major Tellheim zu Minna von Barnhelm, was kaum ein Mann sich eingesteht. Bei »Minna von Barnhelm« handelt es sich so wenig um ein Lustspiel wie bei Ibsens »Nora« um eine Tragödie. Ibsen und Lessing unternahmen Offenlegungen männlichen Eigensinns und bitterer Vorurteile über die Frau. Tellheim ist stolz und nicht mehr zur Selbstkritik fähig: »Ich bin nicht gewohnt zu klagen... Lassen Sie mich, Fräulein... Ihre Güte foltert mich.« Die Illusion nährend, er müsse stärker als die Frau sein, fügt er hinzu: »Mein eigenes Unglück schlug mich nieder... ihr Unglück hebt mich empor, ich sehe wieder frei um mich, und fühle mich willig und stark, alles für sie zu unternehmen.« Aber Minna bleibt konsequent. Eine großartige Frau, die den Kraftlosen durchschaut: »Oh, diese wilden unbiegsamen Männer, die nur immer ihr stieres Auge auf das Gespenst der Ehre heften! Für alles andere Gefühl sich verhärten! Hierher, Ihr Auge auf mich, Tellheim!«

Es gab also hellsichtige und sensible Männer. Ihr Werk zeigt, daß Einsicht in die Struktur der Beziehungen zwischen Frau und Mann möglich ist. Der normale Mann hat diese Selbsterkenntnis nicht, ginge er auch noch so oft ins Theater.

Manchmal erfahre ich von Frauen, was in ihnen vorging, bevor sie ihren Partner verließen. Ich will es den Männern so sagen: »Du hast zu viel gearbeitet und für sie zu wenig Zeit gehabt. Du hattest Angst, zu wenig zu verdienen, aber keine, zu wenig zu leben. Sie hatte zu viel zu tun, im Haus, mit den Kindern, euren Bekannten. Nun sollte sie auch den alltäglichen Zoff mit dir noch verkraften. Sie wollte einfach einmal Zeit für sich allein. Sie wünschte sich, daß jemand sich um sie kümmert. Sie wünschte sich, daß du zu ihr kommst und zart bist, zuhörst, nicht immer gleich Sexualität, erst einmal Austausch anbietest. Du hast dir immer die Schuhe ausgezogen, hast es dir gemütlich gemacht, dein Bier getrunken, ferngesehen. Wann hast du die Wohnung sauber gemacht? Gekocht? Wäsche gewaschen? Wann hast du sie gefragt, wie es ihr geht? Wann hast du sie aufgemuntert, ermutigt? Wann hast du dich für ihre Sorgen interessiert? Sie ausgeführt? Mit Menschen zusammengebracht? Sie wollte mit dir sprechen, und du warst zu müde. Sie hat zwar etwas von deinen Gefühlen erfahren, selten genug, aber du hast dich nicht für ihre interessiert. Du hast verlangt und nicht gebeten. Besonders, wenn ihr in Gesellschaft wart, hat sie Zärtlichkeit von dir vermißt. Du wandtest dich anderen zu, hast geflirtet, auf sie warst du nicht bezogen. Warum hast du anderen nicht gezeigt, daß du sie magst? Warum hast du sie in Gegenwart Dritter angegriffen und mit ihr nicht unter vier Augen gesprochen? Deine Vorstellungen von Sexualität beruhten auf einem eingebildeten Recht auf sie, nicht auf der Erkenntnis, daß sie dir ein Geschenk macht, wenn sie mit dir schmust und schläft. Sie bekam von dir kaum ein freundliches Lächeln, keine Anerkennung, keine fürsorgliche Frage. So ist sie gefühlsmäßig verhungert. Sie wollte auch zwischendurch in den Arm genommen werden. Du hast dich zu wichtig genommen. Sie konnte sich bei dir nicht ausweinen, anlehnen ebenfalls nicht. Sogar wenn es dir schlechtging, hast du mit ihr geschimpft, anstatt sie zu bitten. Wie wenn sie nur für dich dasein müßte. Du warst grundlos eifersüchtig, wenn sie mal allein ausging oder sich einem anderen Menschen zuwandte...«

Es fällt mir durchaus nicht leicht, das hier niederzuschreiben. Es erinnert mich an mich, und ich höre Irmgard. Kann sie mich damit noch ernst nehmen? So etwas auszusprechen ist leichter als es zu leben. Ich sehe manche Männer zustimmend nicken. Morgen werden sie es vergessen haben.

Im Kapitel 5 sprach ich von einseitiger therapeutischer Hilfe und der Frau, die sich bescheiden im Hintergrund hält, um den Mann zu stützen. Sie führt ihn nicht, sondern geht hinter ihm, um einzugreifen, wenn er strauchelt, den Weg verfehlt. Er schreitet stolz voran und weiß nicht einmal, daß sie noch hinter ihm geht. Frauen nähren die Illusion, es sei ihr Erfolg, wenn der Mann Anerkennung findet, auch wenn sie in keiner Weise profitieren. Warum tun sie das? Einmal müssen sie sich doch auch dafür rächen.

In »Die sogenannte Liebe« schreibt Jill Tweedie, daß Frauen

177

das Gefühl brauchen, der Mann sei von ihnen abhängig, den Glauben, er schaffe es nur durch ihre Unterstützung. Auf diese Weise müsse er ihr Geschöpf bleiben, quasi ihr Kind. Sie sind nicht nur stolz darauf, daß sie ihm auf die Beine helfen, sondern schlechthin, daß sie ihn ertragen. Eine solche Frau braucht das Gefühl, die Retterin des Mannes zu bleiben. Darum versäumt sie die entscheidende therapeutische Konsequenz, die Abnabelung. Einseitige Therapie – sogenannte Liebe – der Mann hat es mit einer Frau zu tun, die ihn abhängig läßt, ihn weiter an sich gewöhnt. Diese Art zu lieben ist eine Reaktion auf die Repressionen durch die patriarchalische Gesellschaft. Weder der einzelne Knabe noch der erwachsene Mann aber haben eine freie Wahl. Durch Verwöhnung wird er gebunden. Sie gibt ihm Medizin, das »Gegengift gegen seine Schwermut, seinen Wahnsinn und seine Brutalität« (J. Tweedie). Damit paßt sie sich dem Patriarchat an. Die sogenannte Liebe ist das Werk zweier Menschen, die sich wechselseitig Abhängigkeitsbedürfnisse befriedigen. In der Erziehung liegt die Chance auf Frauenunabhängigkeit des Mannes, bis zu einem gewissen Maße. Frauen, die die Männer brauchen, von denen sie gebraucht werden, sind korrumpiert. Bisher tut die Gesellschaft alles, um uns gegenseitig zu binden, damit wir nicht auf dumme, freiheitlichere Gedanken kommen.

Helferin und Therapeutin sein heißt Macht haben. Macht verführt zum Mißbrauch, jedenfalls die Schwachen, und das sind die meisten, vielleicht alle im Patriarchat. Darum will die Frau den kindischen, dummen, gedankenlosen und unmündigen Mann. Eine Frau, die Verhaltensweisen des Mannes mißbilligt, aber nicht darauf besteht, daß er sie ändert, muß unzufrieden bleiben. Sie nörgelt herum und macht sich unattraktiv, damit er sie nicht mehr bedrängt.

Bei Irina war das jedenfalls so. Schon seit Jahren hatte sie mit der Labilität von Rolf ihre liebe Not. Er konnte schlecht arbeiten und litt unter gesundheitsschädigendem Alkoholkonsum. Irinas Widerstand gegen die Einsicht in ihren Anteil an seiner Misere war groß. Sie haßte sich selbst und wütete im Verborgenen. Ihr wurde erst sehr spät klar, daß ihr Festhalten an ihm eine weibliche Art von Beziehungssucht spiegelte. Sie wohnte weiter bei ihm, anstatt sich, wenigstens vorerst, eine eigene Bleibe zu suchen. Sie hing resigniert an ihm wie er an ihr und an der Flasche. Solche Frauen tun gerade so viel, wie nötig ist, damit der Mann am Leben bleibt. Aus der Symbiose heraus muß er nicht. Sie rächen sich durch Schimpfen und Verweigerung bei gleichzeitiger Anwesenheit.

Regula reagierte ähnlich. Sie ist eine kluge und sozial engagierte Frau, die ihre therapeutische Funktion für Max dadurch zu verewigen suchte, daß sie Schritt für Schritt eine finanzielle und materielle Abhängigkeit von ihm herstellte. Bis sie förmlich *eingemauert* war. Warnungen hörte sie ernsthaft an, sah etwas ein, aber sie konnte nichts ändern. Selbst das eigene *bessere Wissen* half ihr nicht. Schließlich war sie so unselbständig, daß ihre an sich nicht geringen psychischen Kräfte nicht mehr ausreichten, um sich von dieser Beziehung allein loszureißen. Nun konnte es erwiesenermaßen nicht mehr um ihre Emanzipation gehen. Max hatte keine Beziehungen außer der zu ihr, wünschte sich die Idylle zu zweit und war der Genasführte, als Regula, nach fünf Jahren lustloser Herummuckerei, einen anderen fand, sich verliebte und Max verließ. Sie hatte von seinem Geld gelebt, zugesehen, wie er mehr und mehr verspießerte, sein Interesse an Zärtlichkeiten und Sexualität versickerte und wie er, frustriert, dem gemeinsamen Alltag Lebendigkeit und Farbe entzog. Sie war unglücklich gewesen, hatte seine Möglichkeiten zur Selbstfindung aber ebenfalls verspielt. Im Namen der sogenannten Liebe – auf die weiche und warme Tour.

Wir Männer haben keinen Anlaß, uns bei den Frauen zu beklagen. Wir haben Anlaß, uns selbst auf den Weg zu machen. Dazu müssen wir die therapeutische Kraft der Frau anerkennen, ehe wir sie in uns aufbauen. Die Frauen müssen sehen, daß sie uns verwöhnen und dadurch verhindern, daß wir uns bereit machen, ihnen, auf allen Ebenen des Austauschs zwischen Liebespartnern, eine Gegenseitigkeit anzubieten.

Wenn Jean Baker-Miller meint, daß Frauen eine therapeutische Tätigkeit an ihren Männern vollbringen, indem sie an deren

Reifung teilnehmen, an Durchbrüchen zu neuen Gefühlen und Handlungen (ebd. 67), dann schätzt sie das zu optimistisch ein. Sie überschätzt die Leistung der Frau, weil sie den Widerstand der Männer unterschätzt. Angesichts dessen fragte ich mich, welche Frauen mir eigentlich geholfen haben. Welche haben mich konfrontiert, so daß ich genötigt war, weiterzudenken und anderen Sinnes zu werden? Weder die braven Töchter noch die Radikalfeministinnen noch die Resignierenden.

Die braven Töchter, die überwiegende Mehrzahl der Frauen dieser Gesellschaft, sind konservativ, sozial angepaßt und in der Beziehung zum Mann einseitig therapeutisch. Selbstlos eintönig, ängstlich und inkonsequent ignorieren sie selbst gemäßigte feministische Töne. Wir haben uns noch nicht genügend um die braven Töchter bemüht. Sie sind unaufgeklärt geblieben. Radikalfeministinnen sind stolz darauf, Männer nicht zu brauchen. Wer in der Kindheit gewalttätig mißbraucht wurde, muß wohl so reagieren. Diese Frau atmet auf, weil sie merkt, daß sie auch ohne Mann sein kann. Manchmal denke ich, daß die eigensinnigen Schwestern sich stärker geben, als sie sind. Man spürt Verbitterung und doch auch Anklammerungstendenzen mit Anzeichen eines Hasses, der nicht loslassen kann.

Manche aktive, hinsichtlich der Möglichkeiten, mit Männern zu kooperieren, resignierende Frau läßt durchblicken, daß sie Frauen stärker und interessanter findet als Männer, deren Unzulänglichkeiten sie durchschaut. Sie distanziert sich von ihnen, so gut es eben geht, nimmt, was bleibt, Sozialkontakte, Hilfen, Zärtlichkeit, die anders schwer zu haben sind. Aber sie entwickelt kein rechtes Engagement mehr, um dem Betreffenden mit der gebotenen Zielstrebigkeit auf die Seele zu rücken. Es gibt solidarische Frauen, von denen mir etwas zu wünschen ich mich noch traue, Frauen, die mich als Menschen behandeln, als Wesen mit Mängeln, das zu Wandlungen in der Lage ist. Ich wünsche mir, auf meine Irritationen hingewiesen zu werden, ab und zu auch einmal auf Positives, schlicht – weder schonungsvoll noch brutal. Ich bin glücklich darüber, solche Frauen zu kennen.

Lou Andreas-Salomé setzte sich energisch gegen Rilkes überfordernde Ansprüche zur Wehr und scheute sich nicht, ihn fast ärztlich diagnostisch zu belehren: »Das, was Du und ich den ›Andern‹ in Dir nannten, – diesen bald deprimierten, bald excitirten, einst Allzufurchtsamen, dann Allzuhingerissenen, – das war ein ihm wohlbekannter und unheimlicher Gesell, der das seelisch Krankhafte fortführen kann zu Rückenmarkserkrankung oder in's Geisteskranke. Dies braucht jedoch nicht zu sein!… Begreifst Du meine Angst und meine Heftigkeit, wenn Du wieder abglittest, und als ich das alte Krankheitsbild wieder sah? Wieder den zugleich lahmen Willen, neben jähen, nervösen Willenseruptionen!« (Briefwechsel, 53). Rilkes Distanzlosigkeiten, wenn er zu nah an sie heranwollte und sie sich bedrängt fühlen mußte, begegnete sie mit deutlicher Abgrenzung. Sie bat ihn hin und wieder, sich zunächst schriftlich zu äußern, bevor sie ihn wieder treffen wollte.

Im Rahmen meiner Arbeit erlebe ich, daß Frauen, die in der Gruppe einige Unterstützung erfahren, in der Lage sind, ihren Männern auf ähnlich konsequente Art zu begegnen. Irina zum Beispiel, die vorhin erwähnt wurde, lernte in der Gruppe schnell, weil sie wißbegierig und wach war. Bei uns sprach sie leidenschaftlich und bewegend über ihre Not mit Rolf. Außer ihm waren alle erschüttert, wenn sie auspackte. Nach zwei Jahren zog sie bei Rolf aus, zu einer Freundin. Sie ließ ihn nicht fallen, sondern besuchte ihn weiterhin an Wochenenden. Immer wieder sprach sie ihn an und *erreichte* ihn auch. Wie viele Männer hatte er anfangs gegen die Arbeit am Menschen polemisiert. Nun begann er aufzuhorchen. Vor allem deshalb, weil ihre Gespräche über Sexualität, unter vier Augen mit mir, auch ihm zugute kamen. In einem Gespräch zu dritt kündigte er eines Tages an, an unserer nächsten gemeinsamen Therapiereise teilnehmen zu wollen. Irinas Konsequenz hatte gesiegt.

Nun werde ich meine persönlichen Erfahrungen und meine Erkenntnisse aus der Arbeit mit Frauen wie Irina zusammenfassen, konkrete therapeutische Konsequenzen gegenüber dem Mann schildern.

1. Nicht verwöhnen, nicht schonen

Das würde damit beginnen, daß die Frau weder sich noch ihn schont, alle Gefühle der Trauer, Wut und Enttäuschung zeigt und benennt. Sie muß aufhören, verletzende und demütigende Attacken des Mannes aufzustauen. Es ist gänzlich unangebracht, den Mann zu idealisieren. Wir erleben immer wieder Männer, die ihren Partnerinnen kein Recht lassen, und Frauen, die keine Ansprüche mehr stellen. Die Erfahrung hat gezeigt, daß das nicht notwendig ist. Die schonungslose Frau achtet darauf, daß ihr auch materiell etwas gehört, damit er nicht reicher wird, während sie neben ihm verarmt. Damit verschafft sie sich die Basis, Einspruch zu erheben, die Berufe der beiden, den Wohnungsort, die Wohnungseinrichtungen, den Tages- und Jahresablauf und die Auswahl der gemeinsamen Aktivitäten mitzubestimmen. Den jungen Mädchen, die mit mir sprechen, empfehle ich stets, nie mit einem Mann zusammenzuziehen, auf jeden Fall eine eigene Existenz zu gründen, und wenn sie das nicht wollen, dann wenigstens einen eigenen Mietvertrag, ein eigenes Zimmer und die Unabhängigkeit von ihm zu behalten.

Wenn der Mann die Freunde ablehnt, die der Frau etwas bedeuten, wenn er die Kinder anders als sie zu erziehen wünscht, beansprucht sie, gehört zu werden und mitzubestimmen. Die schonungslose Frau ist verantwortungsbewußt gegen sich selbst. Sie ist nicht keusch, denn sie will Lust auf ihren Partner entwickeln können und sich nicht damit abfinden, daß er hastig und unzärtlich mit ihr umgeht, daß er Drogen konsumiert oder auf seinen Orgasmus fixiert bleibt. Sie will, daß er ihre Anwesenheit genießt und ihr Lust macht. Gehorsam kann diese Frau nicht sein. Sie wehrt sich gegen unfreundliche Reaktionen. Sie läßt die Rationalisierungen nicht gelten, wenn er sich durch sie bestimmt fühlt oder sie der Nörgelei bezichtigt. Die schonungslose Frau ist rücksichtsvoll gegen sich selbst. Deshalb wird sie nicht unruhig, wenn der Mann ihr despotische Züge ankreiden will. Zur Auseinandersetzung darüber ist sie bereit, die Klärung der Mißverständnisse bietet sie ihm an. Aber sie gibt ihm nicht nach, und sei es, daß sie auf Distanz geht. Sie hat Freunde, zu denen sie zwischendurch ziehen kann, wenn sie sich ausruhen oder besinnen will. Unliebenswürdigkeiten und Grobheiten muß frau nicht hinnehmen. Wenn der Mann sie benutzt, dann streikt sie. Sie wehrt sich gegen Überbelastungen durch die Kinder. Andererseits versucht sie nicht, die Situation durch Gefügigkeit oder sexuelle Angebote zu entschärfen. Sprachliche und emotionale Zuwendungen macht sie nur, wenn ihr danach ist, dann aber nicht verschleiert oder verschüchtert, sondern ausdrücklich, auch indem sie auf ihre Leistung hinweist. Weil diese Frau es ernst meint und offen ist, kann sie kein Rätsel mehr für den Mann sein. Sie lebt und tut nichts nur, um den Mann bei Laune zu halten.

Viele Männer mögen eine solche Frau ablehnen, sie mögen verunsichert und verstockt reagieren. Aber die unverpackte Opposition und die nicht liebenswürdige Forderung sind auf dem Wege zur gegenseitigen Hilfe nicht zu umgehen. In der Übergangszeit wird es untröstliche Distanzierungen, unzarte Deutungen und spektakuläre Rückzüge geben, auch harte Ablehnungen, denn der Mann wird nicht so behandelt werden wollen, wie er bisher die Frau behandelt hat. Er wird es lernen, wenn seine kalten Erklärungen, ängstlichen Bemäntelungen und seine Wutausbrüche bei der schonungslosen Frau keine Wirkung mehr zeigen.

2. Die Fehler des Mannes benennen

Die Frau sollte kompromißlos, aber gediegen die Charakterzüge ansprechen, die dem Mann, den sie lieben möchte, unbewußt sind. Sie soll die Haltungen des Mannes beschreiben, die sie kränken, an ihrer Arbeit hindern und ihre Kreativität beeinträchtigen. Dazu gehört, daß sie ihn entmutigt, seinen Ärger über andere hochzuspielen. Er muß andere Beziehungen aufbauen, die angenehm, freundlich und produktiv sind, in denen er seine Beschwerden los wird und getröstet wird. Nichtsexuelle Beziehungen wohlgemerkt, ich muß das hinzufügen, weil Männer gerade diesen Hinweis immer mißverstehen.

Wenn die Frau verlangt, daß der Mann sich nicht nur auf sie abstützt, dann wird er ärgerlich werden. Selten wird er dankbar dafür sein, eher gekränkt. Er wird alle in Frage kommenden Personen abwerten, weil er nicht weiß, wie er Kontakt aufnehmen kann. Die Frau wird bisweilen übers Ziel hinausschießen, zu kraß auftreten, sich zu lange zurückziehen. Beides sind unumgängliche Begleiterscheinungen von Lernprozessen derjenigen, die etwas ändern wollen. Neben dem Mut zur Konfrontation und zum Konflikt entwickeln sich auch Verständnis und Versöhnungsfähigkeiten sehr langsam. Der kooperative Mann wird sich erinnern: »Das bin ich gewesen. Das muß ich heute auch noch sein.« Friedrich Nietzsche drückte es pointiert aus: »Das bin ich gewesen, sagt mir mein Gedächtnis. Das kann ich nicht gewesen sein, sagt mir mein Stolz. Endlich gibt das Gedächtnis nach.«

Um diese Arbeit zu leisten, brauchen Frauen nicht nur Menschenkenntnis, sondern Qualitäten des Umgangs mit dem unwissenden Mann, um ihren Partner zu verstehen, seine Rationalisierungen und Projektionen zu durchschauen. Es muß ihnen um eine Verbesserung der Qualität ihres Lebens und nicht nur um eine Verwöhnung des Mannes gehen. Auf die Frage, wie sie damit umgeht, wenn sie einen Mangel an ihrem Partner entdeckt, antwortete Dorothee Sölle: »Du kannst doch nicht wissen, was passiert, wenn du es nicht ausprobierst. Vielleicht braucht der andere die Anregung, die Auseinandersetzung. Partner sind nie gleich, oft ist einer der Stärkere, und der wird die gemeinsame Richtung dann auch mehr bestimmen... Wenn ich an den Partner gar keine Erwartungen mehr habe, daß er vielleicht ganz anders ist, dann habe ich ihn verdinglicht... und das ist die Zerstörung der Beziehung« (in: Als Frau ist es wohl leichter Mensch zu werden, 22).

3. Affekte gemeinsam durcharbeiten

Hätten wir in einer Auseinandersetzung mit feministischen Erkenntnissen die Rollen getauscht, begonnen, Teile derselben umzustellen, zu integrieren, hätten wir uns wechselseitig in die Bedürfnisse des anderen eingefühlt, sie zum Teil als eigene erkannt und sie nicht mehr einfach getrennt, dann hätten wir die Schwächen und Stärken des anderen erspürt und gelernt, sie miteinander durchzuarbeiten.

Das hieße zum Beispiel, des anderen Zorn ertragen, weil einem der eigene so gegenwärtig und verständlich ist. Es hieße, uns darüber auszutauschen und gegenseitige Toleranz wie Konsequenz zu üben. Gleichberechtigung gilt es nicht zu postulieren, wie es überall geschieht, sondern zu erobern. Gleichwertigkeit wird es vielleicht niemals geben, in den Schoß fällt sie bestimmt nicht. Frauen müssen die Unsicherheit ertragen, die Zeit abwarten, die Männer brauchen, um mit der Wahrheit über sich fertig zu werden. Lernen braucht immer Zeit, für Hans etwas mehr als für Hänschen. Deswegen muß die Frau ein Stück weit von den Lernerfolgen des Mannes und der Belastung durch den Lernenden unabhängig sein. Wenn ich Durcharbeiten empfehle, dann meine ich durchaus das intensive Gespräch über Erinnerungen, Wiederholungen und Übertragungen, welches das über Konflikte, Krisen und Situationen begleiten sollte. Ein Gespräch ist ein Kunstwerk, kein Pfusch.

4. Unsicherheit ertragen

Gleichgültig, wie der Mann damit umgehen kann, die konsequente Frau läßt ihre Zumutung stehen. Indem sie es aushält, abzuwarten, wie der Mann damit umgeht, hält sie ihn. Ich erlebe, daß Frauen diese Unsicherheit leichter ertragen als Männer. Offensichtlich haben sie es länger geübt, einen unsicheren Menschen an ihrer Seite zu wissen. Je vorurteilsbeladener, autoritärer und gehemmter der Mann ist, desto schlechter erträgt er es, eine Phase der Beziehungsgeschichte in der Schwebe zu halten.

Er will die klare Lösung, die schnelle Entscheidung, die Sicherheit, und deshalb bricht er den Gesprächskontakt ab, ehe er eine Weile geduldig abwartet.

Unsicherheit heißt Noch-nicht-Verstehen, Noch-nicht-einfühlen-Können. Frauen wissen zwar, daß sie sich einfühlen werden, der Mann nicht, aber auch sie halten Unsicherheit in bezug auf die zu befürchtenden Reaktionen des Mannes nicht immer aus. Sie brauchen Zuwendung und – eigentlich wider besseres Wissen – wenden sich mit diesem Wunsch wieder an diesen Mann, der gerade erleben müßte, daß die konsequente Frau es auch ohne ihn schafft. Wenn sie werbend auf ihn zugeht, erlebt er es als inkonsequent, als »Umkippen«. Frauen fühlen sich oft nur ein Stück weit, aber nicht tief genug in den Mann ein. Männer wollen Sicherheit erzwingen, da sie über Soziales nicht nachdenken können. Sie wollen überlegen und kontrolliert sein, plädieren auch im privaten Bereich für Regeln, die ein für allemal gelten.

Freiheitliche, auf Gleichberechtigung zielende Orientierungen erfordern Flexibilität, die auf der Stärke ruht, Konflikte über längere Strecken durchzustehen. Es gelingt auch Frauen nicht immer, diese Durststrecken zu überbrücken, weil sie nicht wissen, daß Männer zu beeinflussen sind. Die Frau, die konsequent ist, kann davon ausgehen, daß der Mann – früher oder später – kommt, um ihre Stellungnahme zu hören. Auch wenn er vorübergehend kindisch reagiert, ungeduldig seine Schwäche kompensiert, indem er zu anderen Frauen flüchtet oder diese über seine wahre Situation im unklaren läßt, wenn er Ablenkungen und Abenteuer sucht, wird er wieder an ihre Tür klopfen. Dann allerdings kommt es darauf an. Dann sollte sie wissen, was sie ihm und wie sagen muß. Einzig ihre Geduld entscheidet darüber, ob sie abwarten und sich auf ihn vorbereiten konnte, um ihm zuzuhören und ihm ihre Vorstellungen des Zusammenlebens, gegebenenfalls ultimativ, mitzuteilen.

5. Führung übernehmen

Die Kraft, Unsicherheit zu ertragen, können wir auch Hingabefähigkeit nennen. Frauen lassen sich öfter von Situationen leiten,
ohne dirigierend einzugreifen. Sie regen sich weniger auf, strei-
ten und stören weniger. Das qualifiziert sie dazu, in anderen Situationen die Führung zu übernehmen. Wie in allen Anforder-
nissen konsequenter Haltungen verstehen wir die Position der
Frau nur, indem wir auch die des Mannes untersuchen. Er will
sich zunächst nicht von der Frau führen lassen, leistet Widerstand, will den Ton angeben, ohne viel Bedenken, effizient. Einseitig therapeutische Frauen lassen sich von Männern führen,
die das gar nicht können, weil sie hierarchisch fühlen. Sie ertragen sich nur in der sozial höheren Stelle und trachten danach, zu
belehren. Voller Affekt und jenseits vernünftiger Beherrschung,
wenn frau paroli bietet.

Einsichtigere erkennen wir daran, daß sie weniger Sicherheit
und keine Autorität beanspruchen, wenn es darum geht, komplizierte soziale Situationen zu bewältigen. Sie begreifen es als
ihre Aufgabe, sich führen zu lassen. Nicht nur von robusteren,
rabiateren oder älteren Männern, sondern von Frauen und Kindern. So gleichen sie ihre Defizite an Mitgefühl aus.

Uneinsichtige verwechseln Hingabefähigkeit mit masochisti-
scher Kraftlosigkeit. Abgrenzung und Selbstbehauptung erscheinen ihnen lebenswichtig, nicht aus sachlichen, sondern aus
personellen Gründen. Mein Plädoyer dafür, daß Frauen die Führung übernehmen sollen, könnte mißverstanden werden. Ich
meine keine einseitige, kämpferische, autoritäre Führung, sondern eine, die anerkannt wird, weil sie freiheitlich ist. Man erkennt sie nicht daran, daß sie Verantwortung für den Geführten
übernimmt oder für ihn Entscheidungen fällt, sondern am Einsatz für die gleichberechtigte Gestaltung der Beziehung. Sie verzichtet auf generelle Regelungen und auf Terror gegen Wider-
spenstige: Führung also nur für dieses eine Gespräch, diese ge-
genwärtige Situation. Wieder stoßen wir auf die Notwendigkeit
des Abbaus des Autonomiewahns des Mannes. Kraft ist nur ge-

meinsam richtig zu entfalten und nur, wenn Bindung wichtiger wird als Individualität und Perfektion, Gemeinschaft wichtiger als Geltungsstreben. Wenn der Mann gemeinschaftsschädigend und gewalttätig ist, dann darf die konsequente Frau das nicht billigen oder dulden. Ihre Führung muß die Möglicheit der Trennung von ihm einschließen, wenn er Menschen attackiert oder beschädigt. So wird die weibliche Führung eine politische Kraft gegen Chauvinismus, Kriegsbegeisterung und Faschismus.

6. Tabus des Mannes durchbrechen

Durch die Empfindlichkeit des Mannes gesetzte Tabus erkennt die Frau daran, daß er mürrisch wird, wenn sie sie anspricht. Er reagiert einsilbig. Gereizt benutzt er die nächste Gelegenheit, um sich zu entfernen. Frauen kennen die Tabus ihrer Partner im Grunde genau. Sie sparen sie aus, weil sie nicht wagen, den Mann zu reizen. Aber die Verschweigeregeln des Mannes sind die Statuten partnerschaftlicher Organisation. Er muß die »Religion« und deren Dogmen nie formuliert haben, nichtsdestoweniger besteht er auf ihrer Einhaltung. Die Aufgabe des Mannes besteht darin, gerade diejenigen Themen und Anstöße ernst zu nehmen, die er als Vorwürfe empfindet, weil sie ihm fremd, einseitig oder abwegig erscheinen. Das ist nicht paradox, weil vor die Tabus Abwehrmechanismen geschoben wurden. Die Aufgabe der Frau ist es, mit der Feindseligkeit des Mannes fertig zu werden. Hinter der nach dem Tabubruch aufkommenden Aggressivität das Liebesbedürfnis zu erkennen ist nur der erste Schritt. Auch wenn sie Symptom und Ursache zu unterscheiden vermag, besteht für sie kein Anlaß, das »Symptom« zu entschuldigen. Männer drücken sich bisweilen sehr diffus aus, wenn Frauen konsequent sind, und stellen sich dumm. Frauen neigen dazu, in unklare Äußerungen ihre eigenen verinnerlichten Verbote und Selbstkritik zu projizieren. Der Mann braucht die Unklarheit, weil sie Bestandteil seines Lebensplans ist. Ihr Durchbrechen ist ein wichtiger Schritt zur Unabhängigkeit der Frau.

7. Eigene Inkonsequenzen durcharbeiten

Nichts zu fordern und nicht nein zu sagen gehört zu den Inkonsequenzen, die selbstkritisch durchgearbeitet werden müssen, wenn frau Einfluß zu nehmen wünscht. Die Frage »Wer bin ich?« gehört dazu. Frau weist sie oft zurück und verleugnet sich. »Wie wirke ich auf andere?« ist eine ebenso wichtige Frage. Ein erster Schritt zu ihrer Beantwortung ist die Auskunft der Menschen, mit denen frau zu tun hat. Was sie ihr mitteilen, muß nicht stimmen. Besonders diejenigen, die von ihr abhängig, auf sie angewiesen sind, Angst vor ihr haben, werden sie schonen. Darum muß sie überprüfen, wie sich die Menschen wirklich verhalten und entwickeln. Deren Fort- oder Rückschritte beantworten die Frage nach ihrer Person besser. Dazu wiederum muß sie ermitteln, wie die Männer ihre Lebensaufgaben bewältigen. Haben sie damit Mühe, dann hat die Frau sie womöglich durch Inkonsequenzen und unangebrachte Bestätigungen behindert oder festgehalten. Aber dann weiß sie, wer sie ist. Wenn sie eine Reihe von ernstzunehmenden, zufriedenstellenden oder beunruhigenden »Antworten« auf diese Fragen erhält, bekommt sie allmählich einen Eindruck davon, wer sie ist. Erhält sie kritische Antworten, dann fehlt es ihr an Konsequenz. Die einseitig therapeutische Frau fragt nicht mehr. Ihre Wertblindheit bewirkt, daß sie den Mann nicht kennt und ihn weiter stützt.

8. Um die eigene Selbstachtung ringen

Um helfen zu können, benötigt frau Selbstachtung. Das Gefühl, wertvoll, tüchtig und voller Kraft zu sein, etwas bewegen zu können. Frau hat es nicht immer. Sie muß darauf achten, wenn es schwächer wird. Selbstachtung umschließt den Vollzug eigenständiger Handlungen, die den Mann aufmerken lassen. Das bringt frau nur fertig, wenn sie genügend Quellen des Interesses und der Befriedigung hat, die mit der Beziehung, um deren Gestaltung es geht, nicht unmittelbar zu tun haben. Frau kann nicht konsequent an Schwächen des Mannes arbeiten und gleichzeitig

Anerkennung von ihm erwarten. Konsequente Anstöße sind nicht leicht zu verkraften. Es bleibt eine schmerzliche Versuchung für die Frau, den Mann für den Zweck der eigenen Sicherheit zu gebrauchen. Dann läßt sie ihn ungeschoren. Nur wenn sie genügend soziale Bindungen aufgebaut hat, die sie in der Krise tragen, ist sie imstande, sich im äußersten Fall aufzulehnen. Es ist zwar nötig, daß die Frau sich dagegen wehrt, »nur« als Hausfrau angesehen zu werden. Wenn sie aber im Hause bleibt, ihre Zeit für den Mann und die Kinder opfert, kann sie auf die Dauer nicht genügend Selbstachtung entwickeln. Zu Hause bekommt sie nie genügend Resonanz und Bestätigung. Damit will ich nicht sagen, daß jede Frau, die Hausfrau und beruflich tätig ist, deshalb schon genügend Selbstachtung besitzt. Auch sie muß darum ringen, weil der dazugehörige Mann die Doppelbelastung in den seltensten Fällen auf sich nimmt. Weil er damit keine Erfahrungen hat, kann er ihr auch keine Anerkennung geben. Entbehrt sie diese, läuft sie Gefahr, in die Falle des kraftlosen Mannes zu gehen, der ihr die Scheinsicherheit gibt, er existiere für die Befriedigung ihrer sekundären, der Helferinnenbedürfnisse. Eine Frau, die im tiefsten Innern vom Manne enttäuscht ist, ansonsten auch keine Bestätigung erhält, ist unglücklich, nur zu einer positiven Übertragung, nicht zur Liebe fähig. Sie ignoriert die wirklichen Bedürfnisse des Mannes. Sie reagiert distanzlos und verlangt auf dem Wege der Projektion vom Mann, was sie nicht aufbringt: Fortschritt und Auseinandersetzung. Da gegenseitige Hilfe entstehen soll, darf sie aber nicht von den Erfolgen ihres Mannes abhängig sein. Ohne eigene Selbstachtung wird sie versuchen, ihn in die ihr genehme Richtung zu bugsieren, in die Hörigkeit, die Ohnmacht, die Erfolglosigkeit. Mit Selbstachtung und unschicklichem Eigensinn kann sie ihn freilassen.

9. Fordern, daß der Mann von ihr lernt

Weil Männer meist kein emotionales Wachstum kennen, mißachten sie dessen Bedeutung im Leben der Frau. Sie wollen immer sofort und handgreiflich an allem partizipieren und profitieren. Den Wachstumsverweigerern muß die Frau sich entziehen.

Es wäre allerdings fatal, wenn die Frau es sich zum Ziel nähme, wie der Mann zu werden. Sie muß sich ihre weiblichen Qualitäten bewahren. Einige Radikalfeministinnen kopieren den Mann. Statt dessen sollten sie darauf bestehen, daß ihre noch weiblichen Qualitäten zum Lernprogramm des Mannes werden. Es ist ihre Aufgabe, durch die Betonung ihrer weiblichen Stärken herkömmliche politische und soziale Strukturen als destruktiv zu charakterisieren. Weil es sie betrifft und ein produktives Potential für Umorientierungen enthält, ist es in erster Linie Aufgabe der Männer, weibliche Werte als positiv für sich zu erkennen. Diese haben nichts mit Naivität, grenzenloser Geduld, Unterordnung und der sogenannten Liebe zu tun. Eine Andeutung dazu, was Männer lernen müssen: Weibliche Sprache ist konkreter, persönlicher und schlichter als männliche. Sie ist mehr auf Menschen bezogen und auf Bündnisse mit lebensbejahenden Partnern gerichtet, außerdem offener in dem Sinn, daß eigene Schwächen nicht so rigoros verheimlicht werden. Weibliches Denken ist nicht analytisch-abstrakt, sondern mehrdimensional, integrativ und emotional-intuitiv. Es erfaßt Ganzheiten und nicht, wie männliches, nur Details. Dazu bewegt es sich nicht im Entweder-Oder, malt nicht schwarzweiß und fixiert weniger. Nicht Normen und Regeln stehen in seinem Vordergrund, sondern die flexible Entwicklung des Lebendigen. Weibliches Handeln bewegt sich im Rahmen kleiner, überschaubarer Gruppen. Es ist toleranter in bezug auf die Abweichung von *Linien,* nicht auf Machtansammlung, sondern auf Konfliktbereinigung ausgerichtet, außerdem improvisierend, lernend und individuell. Weibliches Sprechen, Denken und Handeln muß Eingang in alle männlich dominierten Bereiche finden, selbst auf die Gefahr der neuerlichen vorübergehenden Ausbeutung weiblicher Gestaltungskraft als einseitige Therapie der männlich-gesellschaftlichen Defizienzerscheinungen hin. Selbstverständlich haben nicht alle Frauen allen Männern diese Qualitäten voraus, schon gar nicht Radikalpolitikerinnen wie Margaret Thatcher oder Feministinnen, die mit Männern abgeschlossen haben. Ich bezog mich auf Frauen, die ich persönlich kenne oder deren Werke ich gelesen habe.

Der letzte Satz aus Simone de Beauvoirs Buch »Das andere Geschlecht« lautet: »Der Mann hat zur Aufgabe, in der gegebenen Welt dem Reich der Freiheit zum Siege zu verhelfen. Damit dieser höchste Sieg errungen wird, ist es unter anderem notwendig, daß Mann und Frau jenseits ihrer natürlichen Differenzierungen rückhaltlos geschwisterlich zueinander finden.« Diese Worte stammen aus dem Jahr 1951. Über 30 Jahre später äußerte Beauvoir in einem Gespräch mit Alice Schwarzer, daß auch Männer Feministen sein und für die Frau kämpfen können, ohne die Veränderung unbedingt von der der Gesamtgesellschaft abhängig zu machen, ohne daß der erträumte Sozialismus kommt. Sie fügt hinzu, daß auch in linken, revolutionären Gruppen eine tiefe Ungleichheit zwischen Mann und Frau weiterbesteht: »Ich denke also, daß der spezifische Kampf der Frauen doch auch mit dem, den die Männer führen müssen, verbunden ist, und ich lehne die totale Verstoßung der Männer ab« (Alice Schwarzer, Simone de Beauvoir heute, 31).

Doris Lessing nahm ähnlich Stellung. Sie meinte, daß es ein Fehler war, diejenigen Männer aus der Frauenbewegung auszuschließen, die den Feminismus unterstützt haben: »Wenn Frauen irgendeinen armen Kerl wild attackieren, als wäre er der Verbrecher, der die ganze Misere erfunden hat, so ist das dumm und geht an den historischen Tatsachen vorbei« (in: taz Berlin, 22. 10. 1984).

Der Mann, so Anaïs Nin, brauche über die Selbstentfaltung der Frau nicht beunruhigt zu sein, denn er würde statt einer Abhängigen eine Partnerin haben. Die Frau der Zukunft würde gelassen und zuversichtlich sein, allerdings niemals versuchen, durch den Mann zu leben, damit er verwirkliche, was sie tun solle: »Ich möchte, daß die Frau diese Eigenschaft, für einen Menschen Gefühle zu empfinden, in direkten Kontakt mit ihm zu treten, erhalten möge, und zwar nicht als etwas Schlechtes, sondern als etwas, das eine völlig neue Welt erschaffen könnte, in der sich die intellektuelle Fähigkeit mit der Intuition und mit dem Sinn für das Persönliche vereinigen würde« (A. Nin, Die neue Empfindsamkeit, 27). Es wäre schön, fügt Nin hinzu, wenn Männer diese Entwicklung mitmachen würden. In dem Plädoyer für den empfindsamen Mann (ebd. 46 ff.) sagt sie, daß die neue Liebe zwischen antiautoritären, empfindsamen Menschen eine Form des Umgangs sein könnte, in der Abhängigkeit und Unabhängigkeit so miteinander abwechseln, daß der empfindsame Mann die Bedürfnisse der Frau kennenlernt. Beide würden ungehemmt miteinander wachsen. Dazu wäre es nötig, daß der Verschlossene offen wird und die Frau Empfindsamkeit nicht mit Schwäche verwechselt: »Werden die Frauen auch so lange brauchen, um Sadismus, Arroganz und Tyrannei zu erkennen, die sich so schmerzlich in der Welt draußen, in Krieg und politischer Korruption bemerkbar machen? Wir wollen die neue Herrschaft der Aufrichtigkeit, des Vertrauens, der Vernichtung falscher Rollen in unseren persönlichen Beziehungen beginnen, und sie wird eines Tages sowohl die Weltgeschichte als auch die Entwicklung der Frauen beeinflussen« (ebd. 53).

Inzwischen haben wir Anlaß, skeptisch zu sein, wenn wir die Resonanz der Frauenbewegung bei Männern und die Emanzipation der Frau betrachten.

Barbara Sichtermann sieht, daß die Frauenbewegung vor allem deshalb in die Nähe einer stumpfen Dogmatik geriet, weil die Öffentlichkeit teils zu allem ja sagt, teils mauert und teils abwinkt (Weiblichkeit).

So erlebe ich die meisten Männer auch. Keine Gegner der Frauenbewegung, aber sie tun nichts dafür. Nicht einmal die Voten und die Literatur der Frauen nehmen sie zur Kenntnis. Vielleicht gibt es einfach noch nicht genügend Frauen, die die Männer mitnehmen. Wahrscheinlich ist, daß die Männer sich verwei-

193

gern. Verbrüderung mit dem Mann steht nicht an, sondern eine realistische, ernsthafte und ausdauernde Arbeit mit dem Lernwilligen. Erst wenn diese einsetzt, werden Frauen Emanzipation erleben und Männer diese als Entwicklung begreifen.

14. Der Humanismus des 20. Jahrhunderts ist der Feminismus

Mit dem Begriff *Feminismus* können wir eine Bewegung bezeichnen, die im 19. Jahrhundert begann und sich darum bemüht, mit den die Menschenwürde der Frau verletzenden Traditionen des Patriarchats zu brechen. Sie versucht, die allein männlich geprägte Weltanschauung durch eine androgyne zu ersetzen, indem sie von der Verherrlichung des Mannes, seiner labilen Kraft und angeblichen Vernunft abrückt, um auf die Frau, ihre Stärke, ihre spezifische Persönlichkeit und ihren Freiheitswillen aufmerksam und diese zum Gegenstand ihrer Forschung zu machen. Feministische Denkerinnen haben die Mißstände in den von Männern geführten Organisationen der Politik, der Kirchen, der Wissenschaften, der Ausbildungsinstitutionen und der Familien angegriffen. Sie begannen, Wissenswertes über den Mann herauszufinden, indem sie den Schwerpunkt ihrer Arbeit auf die tatsächlichen persönlichen und sozialen Lebensbedingungen der Frau legten. Auch tiefenpsychologische Erkenntnisse konnten benutzt werden, um Widerstände, Projektionen und andere Abwehrmechanismen der Männer gegen die bewußte Wahrnehmung der patriarchalischen Wirklichkeit und der wahren Bedeutung der Frau für den Mann aufzudecken.

Um gegen patriarchalische Wertblindheit anzugehen, müssen wir die Beziehungen zwischen Männern und Frauen noch genauer untersuchen. Ich bemühte mich darum, männliche Defizite anzudeuten, die bisher nicht klar benannt wurden. Die sogenannten neuen Männer wollen mehr sein als nur ein Reflex auf die Frauenbewegung. Warum eigentlich? Wieso reflektieren sie nicht erst einmal die Frauenforschung? Sie sind es leid, einer von Frauen aufgezwungenen Rolle zu entsprechen. Warum üben sie

keine Selbstkritik? Sie wollen ihre Aggressivität erleben und er-
leiden, auch in der Sexualität. Warum verlieren sie kaum ein
Wort über ihre Gewalt gegen Frauen? Wieso trauern sie nicht?
Schließlich behaupten sie, es gehe ihnen um eine neue männliche
Identität. Auf Männertagungen aber hören wir das alte Lied:
Klagen über angeblich harte Frauen, Ablehnungen von Bezie-
hungskisten, Verherrlichungen von Vielweiberei und Schwär-
mereien über männliche Orgasmen. Indessen entwickelt sich die
Gesellschaft im Westen wie im Osten chauvinistisch in Richtung
auf die Restauration traditioneller sexistischer Werte. Die neuen
Männer leiden unter ihrem alten Trotz. Sie wollen nicht an sich
arbeiten, an ihren Verwöhnungs- und Aggressionsneurosen.
Statt dessen genießen sie ihre vorzeitigen Ideenergüsse.

Es gab Zeiten, in denen eine gnadenlose Feindschaft gegenüber Frauen herrschte, ihre konsequente Ausbeutung und Er-
niedrigung durch den hartgesottenen Autoritären. Die weibliche
Frau sollte ihm dienen und gehorchen. Er wollte sie passiv, aufopfernd und unterwürfig. Einen sauberen und ordentlichen
Haushalt sollte sie ihm nach seinen Vorstellungen führen und
seine Kinder nach seinem Bilde großziehen. Das Dritte Reich be-
kämpfte alle emanzipativen Tendenzen bei Frauen, um sie auf
die Ideale der Ehe und Mutterschaft festzulegen. Die Psyche der
Frau, so läßt Adolf Hitler in »Mein Kampf« an einer Stelle ein-
fließen, sei weniger durch Vernunft als durch eine gefühlsmäßige
Sehnsucht nach ergänzender männlicher Kraft bestimmt, die sie
sich lieber dem Starken beugen ließe als den Schwächling zu beherrschen.

Friedrich Nietzsche fand in der Schwangerschaft die Lösung
aller weiblichen Rätsel. Die Frau sollte zur Erholung des zu
Spiel, Gefahr und Krieg erzogenen Mannes dienen. Ihr Glück
heiße »Er will«, und deshalb müsse sie »aus ganzer Liebe gehorchen« (Zarathustra, 69 ff.).

Es besteht für mich kein ernsthafter Zweifel daran, daß die
unbelehrbar patriarchalischen Männer auch heute noch die
überwältigende Mehrheit in unserem Land bilden. Sie zitieren
augenblicklich nicht Hitler oder Nietzsche, aber sie fühlen wie

diese. Es gibt Minderheiten, die behaupten, humaner zu sein. Bisher erscheinen sie mir vor allem schlauer und redegewandter. Auch sie ignorieren und verdrängen die Meinung und die Stimme der denkenden mutigen Frau. Indem sie das konsequent tun, sind sie clever, dynamisch und echt. Ignoranten schweigen die Frau tot, indem sie sich autistisch den Ergebnissen feministischer Wissenschaft verweigern. Zwanghaft ermutigen sie sich gegenseitig, ganz von vorn anzufangen, ohne auf die Frau zu hören. Sie landen, wo sie aufbrachen, bei den alten Klischees über Frauen.

Zu denen, die einfach leugnen, daß sie typisch männliche Charakterzüge haben, gehören die, die man eine gewisse Zeit lang *Softies* nannte. Sie tun so, als könnten sie nicht autoritär sein, und biedern sich *weich* bei Frauen an. Sie stimmen ihnen zu, ohne ihnen zugehört zu haben. Und dennoch akzeptieren sie nur, was ihnen nützt. Als *Ausgleich* mögen sie den *Beschützer* der Frau spielen, ohne diese als selbständig gelten zu lassen. Sie bilden das Pendant zur einseitigen Therapeutin und zur braven Tochter, weil sie der Frau nicht das Gegenüber sind, das ihr eine unbeschädigte Entwicklung ermöglicht. Aber auch bemühte Männer mit gelegentlichen selbstkritischen Ansätzen haben die größte Mühe, sich zu einer frauenfreundlichen Konsequenz durchzuringen. Trauerarbeit fehlt auch ihnen und deshalb die solidarische Kooperation. Wir erkennen sie daran, daß auch sie nicht angeben können, wie ihre Partnerin sich fühlt, wie es ihr geht, welche Bedürfnisse sie hat und welche Forderungen sie stellt.

Frauenfeinde, Ignoranten, Softies und Bemühte haben ein Gemeinsames: Sie stellen ihre persönlichen Werte nicht radikal in Frage. Mir scheint die Gewalt der höchste patriarchalische Wert. Immer, wenn er sich unterlegen fühlt, wird der Mann gewalttätig. Solange Männer auf die Frau angewiesen und eifersüchtig sind, ohne mit ihr sprechen zu können, werden sie ihre Minderwertigkeitsgefühle durch Aggressionen kompensieren. Eine oberflächliche Aufklärung über grobe und subtile Gewalt genügt daher nicht. Die Männer müssen den Kampf um die Befreiung des männlichen und das heißt vor allem des eigenen Unbewußten aufnehmen und beginnen, mit ihren Vorurteilen und Ängsten allein, im Kreise von Geschlechtsgenossen, ohne Frauen, fertig zu werden. Erst wenn sie auf diesem Weg Fortschritte gemacht haben, können sie von mutigen Frauen einen Dialog erbitten.

Vom höchsten patriarchalischen Wert, der Gewalt, leiten sich andere verinnerlichte Werte ab: die stets wache Bereitschaft zur Rivalität, die Kriegs- und Zerstörungsideologie und der Machtwahn. Das Privateigentum an der Frau und die Lust an der Herrschaft über sie gehören dazu. Materieller und geistiger Reichtum der Frau, ihre emotionale und erotische Lust und ihre Verweigerung bleiben Tabus. Von Frauen wird erwartet, daß sie das männliche Recht unterstützen, indem sie für Ruhe und Ordnung sorgen. Werte wie Familie, Autorität, Elite und Hierarchie werden angestrebt. Nationalismus, Zentralismus und Militarismus feiern neue Siege, überall auf der Welt. Um das zu gewährleisten, werden Minderheiten verfolgt. Neben dem Rassismus und dem Antisemitismus gehört auch der Antifeminismus dazu, weil Frauen wie eine Minderheit behandelt werden. Die gängige Erziehungs- und Bildungspraxis huldigt dem Autonomiewahn, der Motivation durch Rivalität und der Abgrenzung zwischen Menschen.

Mit diesen Hinweisen beabsichtige ich nicht, die *Gesellschaft* als das System patriarchalischer Wertordnung nur global zu kritisieren. Mir liegt nichts daran, denjenigen ein Alibi zu liefern, die es für zwecklos halten, an der eigenen Person zu arbeiten. Auch das anonyme männliche Individuum greife ich nicht an als denkfaul, überheblich, träge oder heuchlerisch. Ich habe eine Selbstanalyse begonnen, um das Menschenbild anzugreifen, das dem Prinzip der männlichen Gewalt zugrunde liegt, daß der Mensch dem Menschen ein Wolf ist. Dieses unbewußte Menschenbild führt Männer zu verzweifelten Versuchen, gegenüber eingebildeten und provozierten *Feinden* Sicherheit zu erzwingen. Die Zwanghaftigkeit dieser Verteidigungsmanie zeigt eine Kampfesmentalität, durch die Männer in allen Ländern der Erde allen Menschen Lebensbedingungen schaffen, die unmenschlich und selbstzerstörerisch sind. Kriegsvorbereitungen werden als unbedingt notwendig hingestellt, Umweltzerstörung wird aus wirtschaftlichen Motiven geduldet, und Gesprächsverschmutzung deklariert man als aufklärerisch und als wissenschaftlich begründet. Auch die weltweite terroristische Welle des gnadenlosen Angriffs auf die verhaßten Männersysteme trifft meist unschuldige Menschen. Sie zeugt von männlicher Haß- und Racheorganisation. Menschen leiden unter Männern.

Die Ereignisse von Tschernobyl haben uns beispielsweise wieder einmal vor Augen geführt, wie pathologisch männliche Führungsschichten operieren. Sie verhängen Nachrichtensperren, so daß die Bevölkerung nicht rechtzeitig gewarnt wird. Angeblich drohe keine Gefahr. Die Menschen werden belogen, die Konzentration der Strahlen sei mit Sicherheit ungefährlich. In »unseren« Reaktoren könne eine solche Katastrophe nicht passieren. Öffentliche Diskussionen zwischen Befürwortern und Gegnern der Atom- und Kernenergie werden unterdrückt. Obwohl nach überzeugenden Bekundungen führender kritischer Physiker und Strahlenbiologen mit katastrophalen langfristigen Gesundheitsschäden gerechnet werden muß, zum Beispiel durch eine spürbare Erhöhung des Risikos, an Krebs zu erkranken, gingen Männer allenthalben gegen die angebliche Angstmacherei der Frauen vor.

Ich habe mit mehreren Männern aus meinem Bekanntenkreis gesprochen. Kaum einer hatte nach Tschernobyl Angst. Sehr wenige sahen einen Anlaß, ihre Ernährungsgewohnheiten zu überprüfen. Offizielle Stellen vernebelten mit naturwissenschaftlich klingenden Grenzwertspielereien die wirkliche Bedrohung. Baldmöglichst gingen die Verantwortlichen daran, die Bevölkerung auf den angeblich wieder normalen Alltag einzustimmen.

Männliche Führungspersonen handeln ihrem Menschenbild gemäß: Der Durchschnittsbürger darf nicht informiert werden, weil er dumm ist und zur Hysterie neigt. Man darf ihm nicht gestatten, aktiv zu werden, weil er gewalttätig reagieren würde.

Die Männer leiden ihrerseits an unterdrückten und panisch gefürchteten Ängsten, die sie mit enormem Kraftaufwand verdrängen müssen. Es bleibt nur Interesselosigkeit und Apathie. Deshalb resignieren die Männer und wehren sich nicht einmal mehr gegen Befehle, in den Tod zu gehen, sei es auf dem Schlachtfeld, zur Verteidigung des »Vaterlandes«, im lebensgefährlichen Umgang mit der zynisch »friedlich« genannten Nutzung der Atomenergie oder durch Hunger, Krankheit oder Suizidalität. Im Gegenteil. Männer sind stolz darauf, wenn sie in gehobener gesellschaftlicher Stellung am unmenschlichen System partizipieren, bevor sie zugrunde gehen. Verwunderlich ist das nicht. Die meisten haben ihr Leben lang nichts anderes gelernt, als sich in großen, unübersichtlichen Organisationen hochzuarbeiten und dann mit allen ihnen zur Verfügung stehenden destruktiven Mitteln dafür zu sorgen, daß sie in Spitzenstellungen verbleiben. Entsprechend ruinöse männliche Gefühle werden anerzogen, damit die Mißstände nicht wahrgenommen werden und sich niemand auflehnt. Privates ist dem Mann unpolitisch und Politisches nicht privat. Der typische Mann steht in der Tradition des Vorurteils gegen die Beschäftigung mit der eigenen Psyche. In den Haltungen derjenigen, die sich den Überlieferungen des Humanismus verpflichtet fühlen, müßte eine andere Gesinnung zum Ausdruck kommen: Der Mensch ist von Natur aus, als Neugeborener, hilflos und ohne Verhaltensmuster, dafür mit einer phänomenalen Lernfähigkeit ausgestattet. Zu Beginn seines Lebens hat er weder Gefühle, Charakterzüge noch Anlagen, eingeborene Ideen oder einen Aggressionstrieb.

Wenn Sartre sagt: »Die Existenz geht der Essenz voraus«, dann meint er, daß der Mensch bei seiner Geburt mit anderen zusammen in der Gemeinschaft ist, ohne ein Wozu oder einen höheren Sinn. Er beginnt erst allmählich, die Welt als von sich getrennt zu verstehen, und entwirft sich und den Sinn seines Lebens in Akten der Kooperation und Kommunikation. Im Umgang mit seiner ersten Bezugsperson lernt er, auf deren soziale Angebote und Gefühle zu reagieren. Er bringt alle Bereitschaften mit, friedlich und freundlich auf seine Mitmenschen zu reagieren. Bei günstigen Entwicklungsbedingungen kann er nicht anders, als zur Menschlichkeit, Vernunft und zur mutigen Verantwortungsbereitschaft in der Gemeinschaft zu finden. Auffassungen, wonach es grundlegende Unterschiede zwischen Rassen, Nationen und Geschlechtern gibt, beruhen wiederum auf einem falschen Menschenbild, auf Angst und Vorurteilen und oberflächlich-unzulässigen Verallgemeinerungen parataktisch verarbeiteter Einzelerfahrungen. Nach dem Muster mittelalterlicher Ketzerverfolgungen führen diese Ideologien zu politischen Programmen, die in letzter Konsequenz alles Leben auf der Erde zu vernichten drohen.

Verständigung zwischen Menschen gelänge nach dem Verzicht auf Gewaltanwendung und Hierarchie. Würden schon im Erziehungsprozeß vielfältige unterschiedliche Meinungen, Weltanschauungen und Lebensweisen toleriert, dann gäbe es weniger Haß und Zerstörungswut, vermutlich nicht einmal mehr das Patriarchat. Solange es aber besteht, klären die, die es besser wissen könnten, die anderen nicht richtig über die Beziehungen zwischen Mann und Frau auf. Durch systematische Verdummung und Aufhetzung verschaffen Männer patriarchalischen Werten Geltung. Durch eine psychologische Aufklärung, die die Beziehungen zwischen Individuen und Gruppen und eine nichtautoritäre Erziehung durch Mann und Frau umfaßt, die sich des Säuglings vom ersten Tage seines Lebens gemeinsam annehmen, wäre Friedenssicherung und Erhaltung des Lebens eher gewährleistet.

Die Frauenbewegung war anfangs und ist großenteils noch heute eine Bewegung, in der persönliche und politische Verantwortung nicht getrennt wurde. Sie wird freiwillig von einzelnen Frauen getragen, die keine politische Macht beanspruchen und keine generellen Regelungen verlangen. Frauen gehen politisch so miteinander um, wie sie im Alltag mit Kindern und anderen Frauen umgehen, den Werten der Freiheit, Gleichberechtigung und Selbständigkeit verpflichtet. Sie haben ein positives Menschenbild, vertrauen auf gegenseitige Hilfe und organisieren sich nur locker, nie auf Dauer und nur in kleinen, überschaubaren Gruppen. Dadurch erhalten sie sich Begeisterung für die Sache und entwickeln Kräfte, die wir in großen, langfristig strukturierten und hierarchischen männlichen Gruppen nicht mehr antreffen. Betty Friedan nennt dieses Führungsprinzip »Adhocratie« (Der zweite Schritt, 261). Es verzichtet auf redegewandte charismatische Führerinnen wie auf die Gefolgschaft blinder Mitläuferinnen. Dadurch können die Frauen frisch und unermüdlich an *ihrer* Sache arbeiten. Gegenüber der Mehrdeutigkeit von Entscheidungen bleiben sie tolerant. Sie integrieren Differenzen und eine Vielzahl von Werten, die den jeweiligen Situationen angepaßt werden. Absolute Kontrolle halten sie nicht für erforderlich. Kritik erfolgt als öffentliche, immer mit Selbstkritik im Zusammenhang, und auf Entwicklung ausgerichtet. Sie ist nicht masochistisch, weil sie nicht verurteilt und degradiert. Niemand macht von den Schwächen der anderen strategischen Gebrauch.

Weibliche Gespräche zeichnen sich dadurch aus, daß sie emotional, intuitiv und konkret sind. Sie verzichten auf Schwarzweiß-Denken, Freund-Feind-Gefühle und Sieg-Niederlage-Motive. Bündnisse mit lebensbejahenden Männern werden nicht ausgeschlossen. Weibliche Gespräche führen zur Berücksichtigung subtilerer Aspekte der Realität und zu größerer Offenheit, zu der Fähigkeit, Minderwertigkeit, Trauer und Schwäche zu fühlen und anderen das gleiche zu ermöglichen. Nicht der Gehorsam, sondern die Entwicklung bleibt höchstes Kooperationsprinzip. Nicht die Gewalt, sondern Zartheit und Sanftmut sind höchste Werte.

Natürlich stelle ich ein Ideal dar, eine Utopie. Dieses Ideal hat aber Bezüge zur Wirklichkeit. Eines steht nämlich fest: Die weibliche Art des Umgangs unterscheidet sich gravierend von der männlichen, und das allein rechtfertigt die Formulierung eines Ideals. Es ist ständig vom Zusammenleben mit mächtigen und gewalttätigen Männern bedroht.

Carol Gilligan führt in »Die andere Stimme« aus, daß Frauen zwischenmenschlichen Bindungen und der Kontinuität von Beziehungen wesentlich mehr Wert als Männer zumessen. Sie reden offen über Kompliziertes, verzichten zugunsten der Verbundenheit auf Regeln und reagieren im Konfliktfall nicht mit Trennung. Den Kern der weiblichen Ethik bilden vertrauensbildende

Maßnahmen der Anteilnahme und Einmischung. Frauen legen größeren Wert darauf, niemanden der Beteiligten zu verletzen.

Die Menschheit braucht einen freiheitlichen, keinen radikalen Feminismus. Auch Frauen haben nur begrenzte Kräfte, und je mehr sie das tägliche Ringen mit den Männern schwächt, desto eher gleichen sie sich patriarchalischen Vorstellungen an. Trotz der offensichtlichen denkerischen und aktiven Leistungen der Frauenforschung und -praxis sehe ich Gefahren für den Feminismus:

1. Die Fiktion, es gäbe nichts, was Frauen nicht auch allein, ohne Männer, bewerkstelligen können.

2. Die durch eine Höherbewertung der Frau bewirkte Neigung zum Absentismus in kleinen spirituellen Kreisen (Still-, Mütter-, Hexen-, Lesbengruppen), die von ihren Mitgliederinnen eine grundsätzlich feindselige Einstellung gegenüber Männern fordern.

3. Über den radikalen Zweifel an allem Männlichen hinaus Formen der Männerfeindlichkeit, die genauso extremistisch und dogmatisch entarten wie die angegriffenen Ideologien und Praktiken der Männer.

4. Den Kampf mit Männern nach Regeln, die diese seit Jahrhunderten befolgen und trainieren, und das Vergessen der sanften situativen Formen des Umgangs.

Es kann mir nicht darum gehen, den Feminismus zu loben oder zu kritisieren. Die Gefahren benenne ich aus einer Befürchtung heraus, durch Rückschritte der Frauenbewegung persönlich in Mitleidenschaft gezogen zu werden. Selbst wenn weibliche Werte als Produkt der Gegenwehr gegen patriarchalische Unterdrückung entstanden sein sollten, dürften sie nicht verlorengehen, weil Männer, die Einsicht in ihre persönliche Gangart gewinnen konnten, diese Werte als Zielvorstellung anerkannten, ohne bisher die nötige Konsequenz und den Mut aufzubringen, sie in ihr Denken, Fühlen und Handeln zu integrieren.

Literatur

AUSGETRÄUMT, 10 Erzählungen, hrsg. von Hans-Ulrich Müller-Schwefe, Frankfurt 1978
JEAN BAKER-MILLER, Die Stärke weiblicher Schwäche, Frankfurt 1980
SIMONE DE BEAUVOIR, Das andere Geschlecht, Reinbek 1968
DIES., In den besten Jahren, Reinbek 1979
DIES., Sie kam und blieb, Reinbek 1972
DIES., Soll man de Sade verbrennen? Reinbek 1983
DIETER BECK, Krankheit als Selbstheilung, Frankfurt 1985
CHERYL BENARD/EDIT SCHLAFFER, Der Mann auf der Straße, Reinbek 1980
DIES., Annäherungsversuche, Reinbek 1984
PIEKE BIERMANN, Wir sind Frauen wie andere auch, Reinbek 1980
MEDARD BOSS, Sinn und Gehalt der sexuellen Perversionen, München o. D.
SUSAN BROWNMILLER, Gegen unseren Willen, Frankfurt 1978
DIES., Weiblichkeit, Frankfurt 1984
MARGRIT BRÜCKNER, Die Liebe der Frauen, Frankfurt 1983
ELIAS CANETTI, Das Gewissen der Worte, Frankfurt 1981
PHYLLIS CHESLER, Über Männer, Reinbek 1982
CHRISTIANE COLLANGE, Der gerupfte Pascha, München 1982
DOROTHY DINNERSTEIN, Das Arrangement der Geschlechter, Stuttgart 1979
COLETTE DOWLING, Der Cinderella Komplex, Frankfurt 1982
CORNELIA EDDING, Einbruch in den Herrenclub, Reinbek 1983
LUISE EICHENBAUM/SUSIE ORBACH, Feministische Psychotherapie, München 1984
DIES., Ganz Frau und wirklich frei, Düsseldorf/Wien 1984
EIFERSUCHT, hrsg. von Heinz Körner, Fellbach 1979
EMMA, Sonderband 3, Sexualität
JAN FOUDRAINE, Wer ist aus Holz?, München 1971
BARBARA FRANCK, Mütter und Söhne, Hamburg 1981
ERICH FRIED, Liebesgedichte, Berlin 1984
DERS., Gedichte ohne Vaterland, Berlin 1980
BETTY FRIEDAN, Der Weiblichkeitswahn, Reinbek 1970
DIES., Der zweite Schritt, Reinbek 1982
FRAUENHANDLEXIKON, hrsg. von Johanna Beyer, Franziska Lamotte und Birgit Meyer, München 1983

Max Frisch, Stiller, Frankfurt 1954

Erich Fromm, Die Furcht vor der Freiheit, Frankfurt 1968

Marina Gambaroff, Utopie der Treue, Reinbek 1984

Ortega y Gasset, Über die Liebe, München 1978

Carol Gilligan, Die andere Stimme, München 1984

Johann Wolfgang von Goethe, Die Leiden des jungen Werther, München 1977

Ders., Die Wahlverwandtschaften, München 1980

Ders., Gedichte, Frankfurt 1982

Herb Goldberg, Der verunsicherte Mann, Hamburg 1979

Sarah Haffner, Gewalt in der Ehe, Berlin 1981

Dies., Bilder und Texte, Katalog, Berlin 1986

Sebastian Haffner, Im Schatten der Geschichte, Stuttgart 1985

Robert Havemann, Dialektik ohne Dogma, Reinbek 1964

Martin Heidegger, Sein und Zeit, Tübingen 1960

Heinrich Heine, Buch der Lieder, München 1975

Hermann Hesse, Gedichte, 2 Bände, Frankfurt 1977

George C. Homans, Theorie der sozialen Gruppe, Köln/Opladen 1970

Irmgard Hülsemann, Berührungen, Gespräche über Sexualität und Lebensgeschichte, Darmstadt und Neuwied 1984

Henrik Ibsen, Dramen in zwei Bänden, Dünndruck, München o. D.

Rodrigo Jokisch (Hrsg.), Annäherungsversuche, Reinbek 1984

Franz Kafka, Brief an den Vater, Frankfurt 1981

Ders., Das Urteil, Frankfurt 1952

Erich Kästner, Wer nicht hören will muß lesen, München 1971

Wolfgang Körner, Meine Frau ist gegangen, Verlassene Männer erzählen, Frankfurt 1980

Ronald Laing, Liebst du mich?, Köln 1978

Peter Lauster, Die Liebe, Hamburg 1984

Gotthold Ephraim Lessing, Das dichterische Werk, 2 Bände Dünndruck, München 1971

Rollo May, Der verdrängte Eros, Hamburg 1970

Alice Miller, Am Anfang war Erziehung, Frankfurt 1980

Margarete Mitscherlich, Müssen wir hassen?, München 1972

Margarete und Alexander Mitscherlich, Die Unfähigkeit zu trauern, München 1977

Margarete Mitscherlich, Helga Dierichs, Männer, Frankfurt 1980

Männersachen, Verständigungstexte, hrsg. von Hans-Ulrich Müller-Schwefe, Frankfurt 1979

Heike Mundzeck (Hrsg.), Als Frau ist es wohl leichter, Mensch zu werden, Reinbek 1984

Anaïs Nin, Die neue Empfindsamkeit, Frankfurt 1982

Christel Neusüss, Die Kopfgeburten der Arbeiterbewegung, Hamburg 1985

FRIEDRICH NIETZSCHE, Werke in drei Bänden, München 1973
DERS., Also sprach Zarathustra, Stuttgart 1975
TOR NORRETRANDERS (Hrsg.), Hingabe, Hamburg 1983
JOSEF RATTNER, Alfred Adler, Hamburg 1972
THEODOR REIK, Hören mit dem dritten Ohr, Hamburg 1976
HORST EBERHARD RICHTER, Lernziel Solidarität, Reinbek 1974
RAINER MARIA RILKE, LOU ANDREAS SALOMÉ, Briefwechsel, Frankfurt 1975
FLORENCE RUSH, Das bestgehütete Geheimnis, Berlin 1978
JEAN PAUL SARTRE, Briefe an Simone de Beauvoir, Reinbek 1984
DERS., Sartre über Sartre, Reinbek 1977
WOLFGANG SCHMIDBAUER, Die hilflosen Helfer, Reinbek 1977
CORDELIA SCHMIDT-HELLERAU, Männerleben, Frankfurt 1981
ARTHUR SCHOPENHAUER, Aphorismen zur Lebensweisheit, Stuttgart 1974
ALICE SCHWARZER, Mit Leidenschaft, ohne Ort, 1982
DIES., Simone de Beauvoir heute, Reinbek 1983
BARBARA SICHTERMANN, Weiblichkeit, Berlin 1983
LEONA SIEBENSCHÖN, Der Mama-Mann, Frankfurt 1983
GEORGES SIMENON, Brief an die Mutter, Zürich 1978
VERENA STEFAN, Häutungen, Berlin 1975
SENTA TRÖMEL-PLÖTZ, Frauensprache, Frankfurt 1982
JILL TWEEDIE, Die sogenannte Liebe, Reinbek 1982